Pour rédiger le texte de ce livre et compléter nos propres conclusions, nous nous sommes appuyés sur les publications des auteurs suivants:

Marie Bláhová, Petr Čornej, Zdeněk Dragoun,
Tomáš Durdík, František Ekert, Michal Flegl,
Ivan Hlaváček, Václav Hlavsa, Jaromír Homolka, Petr Chotěbor,
Josef Janáček, František Kašička, Božena Kopičková,
Dobroslav Líbal, Vilém Lorenc, Josef Mayer,
Dobroslava Menclová, Bořivoj Nechvátal, Helena Olmerová,
Tomáš Pěkný, Emanuel Poche, Ctibor Rybár, Jiří Spěváček,
Jaroslava Staňková, Karel Stejskal, František Šmahel,
Jiří Štursa, Václav Vladivoj Tomek, Jiří Vančura,
Milada Vilímková, Pavel Vlček, Svatopluk Voděra,
Vojtěch Volavka, Zdeněk Wirth, Petr Wittlich

ISBN 80-85894-00-9

Prague

VILLE HISTORIQUE

Marie Vitochová
Jindřich Kejř
Jiří Všetečka

V ráji

Cadran astronomique de la Vieille-Ville,
incontournable pour les visiteurs
de Prague

PRAGUE
MÈRE DES VILLES

Le Musée national de style néo-Renaissance (Národní muzeum) érigé en 1890, domine la place Venceslas (Václavské náměstí)

Prague s'étend dans le coeur même de la Bohême (Čechy). Une situation géographique avantageuse dans le bassin à travers lequel serpente la Vltava prédestina la ville à devenir métropole. Elle s'édifia au cours de longs siècles à partir d'une juxtaposition de colonies s'installant successivement entre les deux châteaux élevés sur les hauteurs au-dessus de la rivière; le Château de Prague (Pražský hrad), l'aîné; et Vyšehrad, le cadet. Une vieille légende dynastique lie la fondation de la ville à Libuše, princesse et prophétesse légendaire. Lorsqu'elle appela au siège princier Přemysl le Laboureur qu'elle avait choisi pour mari, elle aurait prédit la fondation de Prague en proclamant

«Je vois une grande ville dont la gloire touche les étoiles».

Cet événement, situé encore dans l'antiquité païenne, peu après la colonisation du pays par les Slaves tchèques est devenu avec le culte de l'ultérieur Přemyslide saint Venceslas (sv. Václav, †935) une des bases de la tradition d'État dynastique du Moyen-Age.

En effet, la fondation du Château de Prague remonte à l'époque postérieure à l'an 880, où le premier Přemyslide historiquement confirmé, Bořivoj, y transfera, après son baptême le siège princier de Levý Hradec sur la Vltava et il construisit sur l'éperon rocheux au-dessus du coude de la Vltava un lieu fortifié et une église consacrée à Notre-Dame.

Au-dessous sur les pentes et jusqu'aux champs de la vallée de la Vltava s'étendirent bientôt des villages et colonies de pêcheurs et, des marchés offrant les marchandises de la production locale et celle des commerçants étrangers de passage, firent leur apparition. Sous la protection du château princier les commerçants s'y arrêtaient non seulement pour des raisons commerciales, mais aussi pour se reposer avant de poursuivre leur voyage.

A la fin du 10e siècle, l'importance de Prague en tant que centre du pays unifié, augmenta.

A cette époque-là, le commerçant juif Ibrahim Ibn Jacoub at-Turtousa (de la Tortose ibérique) visita Prague et dans son récit de voyage écrit en arabe, décrivit pour la première fois Prague comme un siège princier harmonieusement construit ainsi que les localités situées au pied du Château et qui constituaient une halte pour les marchands étrangers.

Au cours du 10e siècle, le second château princier de Vyšehrad fût construit dans la partie sud du bassin de la Vltava. Par la suite, il fut faussement considéré comme prédécesseur du Château de Prague. C'est justement le rocher de Vyšehrad qui est lié à la légende de la princesse Libuše et à ses prophéties.

Au cours des deux siècles suivants, sur l'emplacement entre les deux châteaux, s'étaient formées des colonies avec des marchés, renouant souvent avec les anciennes localités. Leur importance comme leur richesse augmentaient et c'est à cette époque que naquirent les fondements des futures villes de Prague.

A la fin de la période romane, Prague était déjà une vaste colonie de type urbain — avec des marchés, églises en pierre et premiers couvents, maisons marchandes joliment construites et fermes de nobles. Un site plus grand et plus important se forma dans une large partie peu profonde du bassin sur la rive droite. Une communication entre le château princier et les localités situées au-dessous était tout d'abord assurée par le pont Judith (pont en pierre). Le processus lié à la transformation de la colonisation de type urbain sur les deux rives de la Vltava en véritables villes coïncida avec la construction des fortifications qui n'avaient pas uniquement un caractère de défense militaire, mais confirmait le procédé réussi de la consolidation de l'unité des territoires urbains, tout en créant des conditions pour l'évolution de la vie urbaine collective.

L'ascension fulgurante de Prague sous les derniers rois Přemyslide fut sans doute due à leur pouvoir croissant et, par conséquent, l'importance de l'État tchèque en Europe Centrale se renforça. Le Château devint une magnifique résidence royale — centre politique et berceau du pouvoir de l'État influençant favorablement le développement économique de la ville dans laquelle augmentait le nombre d'habitants grâce à la possibilité de peupler les surfaces non bâties de l'emplacement délimité. De même, la découverte de riches gisements d'argent joua un rôle positif. Son influence stimulante se manifesta dans le développement politique et économique du royaume tout entier mais, naturellement cette source de richesse se refléta notamment dans le développement de Prague, le plus important centre économique du pays.

Les nombreuses luttes et déceptions politiques du début du 14e siècle n'apportèrent à Prague et à ses habitants que souffrances et pertes materielles, cependant le développement économique de la ville n'en fut pas trop affaibli. Les richesses croissantes de la bourgeoisie se manifestaient dans le développement de la culture matérielle de la vie quotidienne. Notamment les logis des commerçants et des artisans aisés se transformaient, même si l'esprit pratique des bourgeois n'influençait que lentement la transformation des constructions. On accepta néanmoins le nouveau style gothique, appliqué beaucoup plus tôt et de façon plus intense lors de l'édification de nouveaux bâtiments ayant un caractère sacral. Avec le bien-être et l'assurance grandissants des bourgeois, augmentaient également leurs revendications politiques, surtout sous le règne de Venceslas II, cependant leurs aspirations ne furent satisfaites que sous le règne de Jean de Luxembourg (Jan Lucemburský) où les échevins réussirent enfin à obtenir la permission de construire une mairie en tant que siège de l'autogestion de la ville de Prague.

Pendant le millénaire de son évolution, Prague gagna maints épithètes élogieux glorifiant sa beauté, son style architectural et son étendue. On l'appela donc la «ville d'or» à cause des toits dorés qui surmontaient les portes d'entrée du Château de Prague, ou encore la «ville aux cent tours» en raison de la quantité innombrable de tours et de tourelles de

Prague est de toute beauté à chaque instant
du jour et de la nuit. On peut apercevoir
le Château de plusieurs endroits

formes différentes et d'ornements variés s'érigeant au-dessus de la mer de toits des maisons pragoises. Ceci se passait dans la période où Prague subissait déjà une restauration de grande envergure afin d'être considérablement élargie sous le règne de Charles IV, qui décida de faire du complexe pragois et des deux châteaux de Prague non seulement une métropole digne des pays de la Couronne Tchèque, mais du Saint-Empire romain tout entier dont il était roi et plus tard empereur. Le règne de Charles IV voit construire un nouveau pont en pierre sur la Vltava, reliant la ville principale (la Vieille-Ville) à une partie plus restreinte de Prague (Malá Strana, «le Petit Côté») située sous le Château. A l'extrémité du pont accédant à la Vieille-Ville s'élève une haute tour imposante, richement décorée, dans le style de Parléř en vogue à l'époque, par des statues en pierre du roi régnant et de son fils Venceslas, mais aussi par des effigies de saints, les insignes des pays de la Couronne de Bohême et de fins motifs gothiques. La construction du pont Charles et de sa tour, figures dominantes de la ville, fut confiée à l'équipe de Parléř. Charles réussit également à parfaire l'image prestigieuse de la ville où il siégeait par la fondation d'une université; celle-ci allait à la fois lui servir de soutien politique dans ses projets et lui garantirait dans son action l'aide spirituelle de maîtres érudits; elle était aussi susceptible d'attirer les étudiants et les maîtres des pays environnants. Fondée en 1348, elle devint en peu de temps une école recherchée et fut plus tard le centre de l'opposition religieuse érudite, s'appuyant sur la pensée de Viklef et d'autres réformateurs. Prague du temps de Charles a aussi connu l'influence de Jean Milíč de Kroměříž, dont les savantes polémiques et les résultats des discussions avec ses contemporains furent les signes avant coureurs de la grande révolte au sein du royaume de Bohême. Après Milíč il y eut ensuite, comme personnage influent, Konrád Waldhauser et plus tard Jean Hus, puis Jérôme de Prague et d'autres réformateurs.

C'est dans cette ville en train de se développer rapidement et de s'enrichir, grâce à la prospérité que lui assure la position de Charles IV, roi de Bohême mais aussi de Rome, qu'arrive à l'époque le fils du bourgmestre de Deventer, et chanoine d'Utrecht et d'Aix-La-Chapelle, Geert Groote. Il est à Prague car il fait partie de la mission du conseil de la ville de Deventer, ayant sans aucun doute, en tant que maître des arts libéraux de l'université de Paris, et attiré par la renommée de l'université de Prague, manifesté de l'intérêt pour cette délégation. Jean Milíč de Kroměříž, que Groote a sûrement rencontré, eut sur le restant de sa vie une influence profonde. Il finit même par vivre dans l'obéissance à la loi divine, l'humilité et l'honnêteté, ce à quoi aspirait Jean Milíč de Kroměříž à Prague. Ainsi la pensée du précurseur de grands réformateurs tchèques parvint, grâce à Groote, qui était originaire de Deventer, jusqu'à la mer, dans une contrée éloignée à l'époque. Groote lui-même fut mal accueilli dans son pays pour avoir voulu répandre l'«hérésie», mais les partisans de cette pensée poursuivirent la tâche, malgré les persécutions venant de l'inquisition.

C'est à l'époque de Charles IV que Prague a connu les plus grands changements, avec l'extension de la ville au-delà des remparts de la Vieille-Ville. Le monarque, sur le modèle des grandes villes européennes, a élargi l'ancienne agglomération pragoise installée sur les rives de la Vltava en créant une nouvelle ville, qu'il a fait entourer de remparts dotés de nombreuses tours et portes. Il a aussi considérablement agrandi la superficie limitée à Malá Strana, par des remparts allant du cloître de Strahov jusqu'à la rivière, en coupant la colline de Petřín par le haut. On reconstruisit avec de nouvelles fortifications le château de Vyšehrad, afin de le rendre aussi prestigieux que la première résidence du roi: le Château de Prague. Charles IV posait ainsi les fondements de la grande ville, dont l'espace, délimité par les remparts, s'élabora en plusieurs temps et par morceaux jusqu'au siècle dernier. Même si après la mort de Charles IV, Prague perdit rapidement son importance comme siège du monarque le plus puissant du monde chrétien de l'époque, car le fils de Charles IV, Venceslas IV fût destitué du trône impérial au cours de l'étape historique suivante — la révolution hussite; prélude aux grandes révolutions européennes — ce furent les Pragois, eux-mêmes et leur représentation politique qui, dès le commencement de la révolution profitèrent parfaitement du potentiel économique et militaire de la ville et, assistés de leurs alliés provinciaux, jouèrent un rôle dépassant de loin la frontière du royaume tchèque de

La ruelle d'Or au Château de Prague (Zlatá ulička) est peut-être l'endroit le plus visité de Prague.
Les petites maisons aux façades multicolores sont construites dans l'enceinte même
du Château au-dessus du fossé-aux-cerfs (Jelení příkop)

13

Le complexe historique de la mairie de la Vieille-Ville (Staroměstská radnice)
avec sa massive tour prismatique de style gothique et sa célèbre
horloge astronomique, date du milieu de XIVe siècle

La splendide maison (dům U Minuty), de style Renaissance avec son extraordinaire façade, décorée
de sgraffites en forme de personnages et de motifs floraux, s'enclave harmonieusement
parmi les autres bâtiments historiques de la mairie de la Vieille-Ville

15

l'époque. Le calice n'était pas qu'un simple symbole de la révolution victorieuse, il devint à la fin, le résultat de fait accordé par l'institution suprême de l'Eglise de l'époque — le concile. Prague était alors le véritable centre du pays tchèque et le coeur reconnu de la Bohême hussite, ce qui était respecté non seulement par ses alliés locaux, mais aussi par ses adversaires extérieurs et intérieurs.

Même durant la période où elle n'avait pas de roi, avant la deuxième moitié du XVᵉ siècle, Prague conserva son statut et la salle de l'Hôtel de ville de la Vieille-Ville devint le théâtre des décisions dont dépendait souvent le sort du pays tout entier. Ce n'était donc pas fortuit que le haut prestige politique des Pragois fut confirmé à l'Hôtel de Ville de la Vieille-Ville par l'élection du nouveau roi de Bohême choisi parmi les nobles du pays — Georges de Poděbrady (Jiří z Poděbrad) qui monta sur le trône impérial pour devenir le roi équitable de deux peuples — catholiques royal et utraquistes.

Les monarques de la dynastie polonaise des Jagellon succédèrent à Georges de Poděbrady, renommé entre autres, pour ses initiatives de paix avec lesquelles il s'adressait aux souverains du monde chrétien de l'époque. Sous leur règne s'achevait l'image de la Prague gothique et du Château de Prague, enrichis des véritables joyaux de l'architecture du gothique tardif. Néanmoins, Prague perdit son cachet de siège royal, car Vladislas Jagellon, après être devenu aussi roi hongrois, transféra son siège à Budín comme il l'avait promis aux États hongrois lors de l'acte électoral. Au cours des combats politiques intérieurs avec la noblesse, Prague était, en tête des villes royales, partisane conséquente de la validité de sa troisième voix aux diètes des États. Cette voix fut confirmée aux villes en 1508 et les litiges entre l'État des seigneurs, d'un côté, et la fédération des villes représentée notamment par Prague de l'autre, se terminèrent par ledit Traité de Saint-Venceslas en 1517. Ce document important, même s'il était loin de résoudre dans les relations réciproques tout ce qui créait une tension entre les parties adverses, assura en partie le statut politique et économique, acquis ultérieurement, de Prague et des autres villes royales. Une participation malheureuse des Pragois à la première révolte des États tchèques

en 1547 contre Ferdinand Ier permit au monarque victorieux d'assujettir complètement la ville, qui avait l'habitude pendant les longues décennies précédentes d'utiliser d'une manière souveraine son autorité politique et son pouvoir économique. A la suite de l'établissement de l'institution des baillis et des prévôts du roi, l'autonomie de la ville dépendit pleinement de ses fonctionnaires nommés par le roi parmi les nobles. Le chef politique de l'État des villes — Hôtel de ville de la Vieille-Ville de Prague — devint ainsi une institution, assujettie et sans possibilité réelle de pratiquer une politique indépendante.

A la fin du 16ᵉ siècle, sous le règne de Rodolphe II, Prague retrouva son ancienne splendeur résidentielle, car l'empereur, sous la domination duquel on achevait l'étape Renaissance de la restauration de Prague, était également un grand amateur et un mécène des arts. A sa cour pragoise, outre des personnalités politiques provenant de l'Europe toute entière, des peintres, sculpteurs, musiciens, hommes de lettres, astrologues et même des alchimistes de tous les pays firent leur apparition, car à sa cour, Rodolphe, souverain érudit, prêtait un intérêt à tous en les soutenant financièrement.

Toutefois, pendant cette période, le conflit entre le pouvoir et l'Eglise en Bohême, devint, au fur et à mesure, imminent et après avoir été plusieurs fois conjuré par les activités diplomatiques des deux parties, il éclata en l'an 1618. Ses conséquences furent de longue portée, dépassant non seulement le cadre de Prague et du royaume tchèque, mais plongeant aussi les puissances européennes de l'époque dans la fureur militaire pendant trente ans. Les flammes dangeureuses de cet incendie jaillirent le 23 mai 1618 à Prague lorsque les États protestants tchèques, en défenestrant des gouverneurs royaux catholiques des fenêtres de l'aile Louis du Château de Prague donnèrent l'ordre de déclencher la deuxième révolte des États. Le fait qu'aux Pays-Bas l'opinion publique accueillit avec sympathie, le soulèvement des États tchèques n'est pas sans intérêt. Les États généraux hollandais savaient ce que signifiait un conflit avec les Habsbourg et regardaient d'un oeil favorable la rébellion des Tchèques contre Vienne. Cela n'en resta pas là. Suivit une aide diplomatique et militaire; en effet, au frais des États généraux, des renforts militaires furent acheminés en Bohême par vagues successives. La sédition contre les Habsbourg s'acheva sans pompe deux années plus

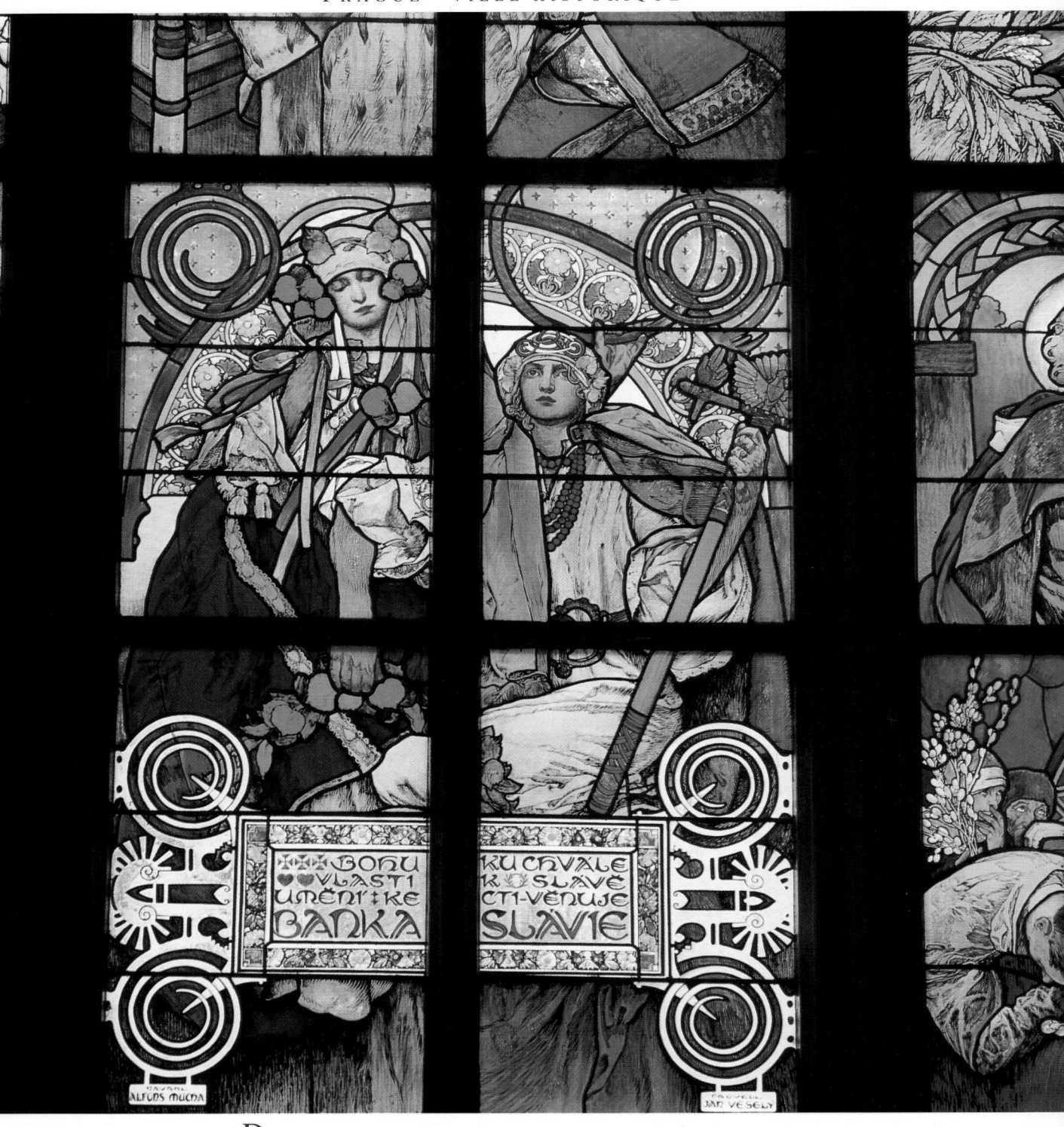

Détail du vitrail de la chapelle archiépiscopale de la cathédrale Saint-Guy.
Cette réalisation tardive de style Art nouveau est
l'oeuvre d'Alphonse Mucha

17

Echappée de verdure, depuis la rue Úvoz qui longe le Château,
sur les toits de Malá Strana, d'où dépasse
la coupole de Saint-Nicolas

tard par une bataille perdue à la Montagne Blanche (Bílá hora), la fuite de Frédéric (électeur palatin) — appelé roi d'hiver, car il régna en Bohême seulement le temps d'un hiver, par des exécutions des chefs des États rebelles et des représentants des villes pragoises sur la place de la Vieille-Ville, par la recatholisation forcée de la majorité de la population et par le premier grand exode tchèque et morave auquel prirent part des personnalités comme J. A. Comenius (Jan Ámos Komenský). Maints bourgeois de Prague furent frappés d'amendes pour leur assistance souvent passive à la sédition. Des milliers de gens quittèrent le pays pour ne pas devoir renoncer à leur foi. Toutefois, le déclin économique et politique fut la conséquence fondamentale de la catastrophe de la Montagne Blanche. La métropole tchèque devint, dans les années suivantes, une simple ville provinciale de l'empire des Habsbourg et la désastreuse guerre de Trente ans qui avait plusieurs fois touché la ville ne fit qu'accélérer la décadence politique et économique de Prague.

En contradiction apparente avec cette évolution, eut lieu une lancée nouvelle des activités de construction provoquée par la nécessité de refortifier solidement les villes de Prague ainsi que les deux châteaux, comme l'avaient montré les expériences néfastes des années de guerre passées, cependant déjà dans l'esprit du style de fortification baroque. De vastes confiscations des biens des non-catholiques contribuèrent également à la relance des activités de bâtiment, en servant de base — sur le plan des terrains et des finances, à l'édification de bâtiments religieux et de nouvelles maisons de nobles — appartenant aux familles des vainqueurs de la Montagne Blanche. Peu de temps après la fin de la guerre de Trente ans, le baroque s'emparait, au fur et à mesure, de Prague qui avait, malgré son air Renaissance, toujours un caractère médiéval, en commençant à le transformer en ville baroque aux magnifiques dominantes architecturales sur les deux rives de la Vltava.

Les jardins en contrebas du Château de Prague sont remarquables par leur paysagisme. Le jardin du Roi est l'un des plus renommés, parsemé de statues venant, pour certaines, de l'atelier de Mathias Bernard Braun

19

L'église Saint-Nicolas à Malá Strana, l'église baroque la plus impressionnante de Prague.
Quant à la décoration intérieure, les statues des pères de l'Eglise
par Ignace Platzer sont ce qu'elle offre de plus beau

Les portes principales de l'église capitulaire Saint-Pierre-et-Paul à Vyšehrad, richement
décorées. Les épées croisées représentent le symbole
du chapitre de Vyšehrad

21

Au-dessus des toits de Malá Strana se dresse l'imposante coupole de l'église Saint-Nicolas,
construite par Christophe et Kilian Ignace Dientzenhofer et par
Anselmo Lurago dans le style baroque

Le changement substantiel apporté à Prague par l'architecture baroque consista en une certaine unification: le baroque prêta à la ville une nouvelle expression, unie dans son style. On édifia de nouveaux palais et jardins, selon les expériences les plus récentes de l'architecture de fortification de l'époque. Les nouvelles fortifications embastionnées de la Nouvelle-Ville, de Malá Strana, de Vyšehrad, du Château de Prague et de Hradčany virent le jour. On restaura et on édifia de nouvelles églises et monastères, des hôpitaux et des maisons pour les bourgeois pragois, y compris leurs exploitations derrière les remparts de la ville, dont certains se sont conservés jusqu'à nos jours. Les deux châteaux de Prague connurent des restaurations importantes. Tandis que Vyšehrad devenait, conformément aux intentions des autorités,

une forteresse baroque massive protégeant la ville du côté sud, au Château de Prague on poursuivait une édification splendide de style baroque qui atteignit son apogée sous le règne de Marie-Thérèse déjà dans l'ère du classicisme.

Le rococo et le classicisme achevèrent la restauration de la Prague médiévale. Les travaux de construction concernèrent également les demeures commandées par les bourgeois enrichis qui contribuèrent à la transformation de Prague en siège paisible et pittoresque. Les coupoles, tours baroques, mansardes, pignons, lucarnes rococo et les façades classiques des maisons de la ville basse au-dessus desquelles s'élevaient les coulisses des fronts classi-

La monumentale «sala terrena» du palais Wallenstein (Valdštejnský palác) fut achevée en 1627 selon les plans de l'architecte Giovanni Pieroni

La Maison Municipale, construite dans les années 1905—1912 d'après les plans de l'architecte Antonín Balšánek et Osvald Polívka, est un échantillon exemplaire de l'Art nouveau à Prague

L'immeuble Art nouveau de l'ancienne Compagnie d'assurances est orné de reliefs provenant de l'atelier d'un maître en la matière à Prague, le sculpteur Ladislav Šaloun

24

ques des palais du Château de Prague donnaient à Prague et à son panorama un aspect tout à fait neuf.

A l'intérieur des fortifications de Prague, presque jusqu'à la fin du 18e siècle, on conserva le mode moyenâgeux de la vie bourgeoise. Seuls les changements économiques et sociaux intervinrent avec intensité. En 1784, les villes pragoises — la Vieille-Ville, la Nouvelle-Ville, Malá Strana (le Petit Côté) et Hradčany — furent réunies en un seul ensemble avec une municipalité commune. Le monarque éclairé n'oublia pas, lors de sa politique réformatrice, le ghetto de Prague dont la séparation médiévale fut abolie par son décret. La Ville Juive appelée Josefov atteignit toutefois son émancipation complète seulement en 1850 où elle fut proclamée arrondissement urbain. En 1883, la ville adopta le sixième arrondissement pragois, Vyšehrad. Au cours des années suivantes, l'agglomération moderne de Prague connut un essor fulgurant.

 près la guerre prusso-autrichienne en 1866, les vastes fortifications baroques, suivant, au fond, les contours des remparts médiévaux de la Nouvelle-Ville et de Malá Strana, se révélèrent inefficaces sur le plan militaire et comme un obstacle au développement économique et architectural de Prague. Néanmoins les fortifications ne furent démolies qu'après 1871. Derrière les enceintes, naquirent cependant dès 1830 les premières entreprises industrielles, le nombre d'habitants augmenta et d'anciens villages se transformèrent pratiquement du jour au lendemain en nouvelles villes populeuses. L'essor de l'industrie fut encouragé par la mise en oeuvre du transport ferroviaire, des transports publics locaux, des tramways à chevaux et, à la fin du siècle, des tramways électriques. Le 19e siècle a vu s'édifier à Prague toute une série de nouveaux bâtiments publics et de nouvelles rues aux maisons bourgeoises, éclectiques par leur style. Après le néo-gothique, le néo-Renaissance et le classicisme tardif, le néo-baroque fait son apparition dans les rues pragoises et, au début du 20e siècle naît l'Art nouveau. De nouvelles cités s'élèvent déjà selon les critères architectoniques modernes.

En 1918, Prague est devenue capitale de l'État tchécoslovaque. La loi datant de 1920 stipule la création de la Grande Prague englobant de vastes faubourgs ayant jusque-là le statut de villes indépendantes, ainsi que des dizaines de villages et localités s'étendant dans un large périmètre. La période entre les deux guerres a vu la population augmenter fortement, ce qui provoqua une relance de l'industrie du bâtiment. Aux abords de la ville naquirent de nouveaux ensembles d'habitations ainsi que de nouveaux complexes industriels, les périphéries virent un accroissement de la construction de pavillons. L'esprit d'entreprise liée à l'avant-garde architectonique intervint au coeur même de la ville, pas toujours de façon heureuse, mais dans la plupart des cas avec des réalisations remarquables d'une importance culturelle capitale.

L'accroissement de la capitale se poursuivit même après l'interruption due à la seconde guerre mondiale et à l'occupation nazie. Le territoire de Prague fut encore trois fois élargi pour atteindre la superficie actuelle de 496 km^2. Même malgré toute une série de difficultés causées par le manque de soins prêtés à certaines fonctions d'importance vitale, par les équipements collectifs insuffisants dans les cités satellites ayant un caractère de caserne et malgré les problèmes de transport, l'actuelle Prague est disposée à résoudre ses problèmes écologiques, ses problèmes de transport, ceux dus à l'entretien insuffisant de la ville entière et les défauts relatifs à la structure du secteur tertiaire. On devra déployer de grands efforts et fournir des moyens financiers considérables surtout à la restauration du noyau historique de Prague dont une grande partie est classée monument historique. De plus, le complexe du Château de Prague est, du point de vue de la protection des monuments historiques, un territoire à part et de même toute une série d'autres éminents bâtiments jouissent du plus haut degré de protection en tant que monuments culturels de la nation.

Prague est enfin, après de longues décennies la ville d'un État libre. C'est un livre ouvert des événements de la nation et du continent, offrant avec générosité ses beautés, ses trésors culturels, de même que ses témoignages historiques à ceux qui sont désireux de les connaître.

L'église Saint-Nicolas de la Vieille-Ville est un monument
baroque imposant du célèbre architecte
Kilian Ignace Dientzenhofer

Pour entrer dans le Château de Prague le visiteur emprunte la porte Mathias qui date de 1614.
La conception de ce monument qui date du début du baroque est imputée
à l'architecte italien Vincenzo Scamozi

LE CHÂTEAU DE PRAGUE

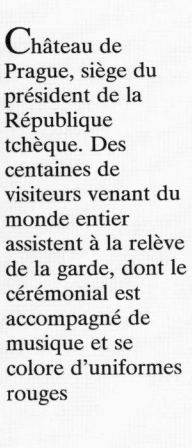

Château de Prague, siège du président de la République tchèque. Des centaines de visiteurs venant du monde entier assistent à la relève de la garde, dont le cérémonial est accompagné de musique et se colore d'uniformes rouges

Dans l'avenir, ce château fort verra naître deux oliviers dont les sommets atteindront le septième ciel. Et toutes les tribus du pays de Bohême et toutes les autres nations leur rendront honneur avec des sacrifices et des dons. L'un portera le nom de Maior gloris (Gloire majeure), l'autre Exercitus consolatio (Consolation des troupes). Ceci se passera dans l'avenir, après un temps très long. Car la vie du prince du royaume de Bohême, le célèbre martyre Wenceslaus (Václav, en vieux slave) et qui se traduit comme Magna gloria (Grande gloire), ainsi que celle d'Adalbert le bienheureux, martyre et deuxième évêque de Prague dont le nom se traduit Consolation des troupes (Consolatio exercitus) se déroulèrent dans ce même château.

DE LA PROPHÉTIE DE LA PRINCESSE LIBUŠE, DANS LA CHRONIQUE TCHÈQUE DE PŘIBÍK DE RADENÍN, DIT PULKAVA

Le lieu fortifié — et plus tard, le château des rois de Bohême — fut fondé sur l'éperon s'ouvrant largement au sud, dans le bassin de la Vltava et est séparé au nord par la profonde vallée que creuse la rivière de Brusnice qui se jette dans la Vltava. Une forme effilée de l'éperon descendant, sur le côté oriental vers la rivière, rappela fortement aux premiers Tchèques une échine allongée de chien avec la queue, ou un corps de dauphin et c'est cette même comparaison qui apparaît dans les références les plus anciennes. Sur le côté occidental —le plus accessible — la voie vers le lieu fortifié fut coupée par un large fossé creusé et par un pont mentionné dès l'an 1004 par le plus ancien chroniqueur tchèque Kosmas.

Le lieu fortifié original fut certainement fondé après l'an 880 par le prince de Bohême Bořivoj qui, avec son épouse Ludmila avait auparavant reçu le baptême des mains de l'apôtre slave Méthode. Bořivoj fonda ensuite dans ces lieux la première église chrétienne consacrée à Notre-Dame, dont des restes de fondations ont été conservés.

Au milieu du lieu fortifié se dressait un logis princier, à l'est le prince Vratislas fonda avant 920 la petite église Saint-Georges qui fut plus tard remaniée en basilique romane avec le monastère des bénédictines. Venceslas, fils de Vratislav, fonda sur le côté occidental, dans l'axe de l'emplacement du Château, une rotonde en pierre à un étage consacrée après 929 à saint Guy — la futur cathédrale la plus importante de Bohême. Après la fondation de l'évêché indépendant en 973 (le premier évêque tchèque fut le Saxon Dětmar), fut également édifiée une chapelle de l'évêque, consacrée à saint Maurice.

La personnalité du prince Venceslas est importante pour le Château de Prague et, naturellement aussi pour l'histoire de la nation tchèque toute entière, car il devint premier saint du pays ainsi que son patron. En 935, Venceslas fut assassiné lors d'une conspiration de magnats au château de son frère cadet Boleslas qui avait été initié aux préparatifs du complot et à l'exécution du meurtre. Les légendes décrivent Boleslas Ier comme un fratricide actif, mais soulignent également la dignité des funérailles de Venceslas dans la rotonde Saint-Guy, lieu que le prince Venceslas avait choisi lui-même pour son dernier repos. Boleslas succéda à saint Venceslas au trône princier et changea l'orientation étrangère de la principauté de Bohême, dirigée originairement vers la dynastie saxonne de Bavière. Dans le pays, la christianisation se poursuivait ainsi que les efforts de Boleslas visant à renforcer l'ordre dans l'Eglise sous le règne de son fils Boleslas II, par l'établissement de l'évêché pour la Bohême, subordonné cependant à l'archevêché de Mayence.

On commença bientôt à honorer Venceslas en tant que saint et créateur de la paix, et plus tard comme patron du pays et détenteur mystique du pouvoir monarchique de Bohême qui n'était prêté qu'aux membres vivants de la dynastie des Přemyslide et, plus tard à leurs successeurs. De la rotonde de Venceslas, n'ont été conservés que de modestes restes de maçonnerie, notamment les absides du sud avec le tombeau du saint, sur l'emplacement de l'actuelle chapelle Saint-Venceslas de la cathédrale dans laquelle s'est transformée au cours des siècles l'église originelle de Venceslas.

Aux environs de 1050, le prince Břetislas fit remplacer les enceintes du Château de Prague par des murailles en pierre et le prince Spytihněv II commença en 1060, sur l'emplacement de la rotonde de Venceslas la construction de la basilique à deux choeurs consacrée aux martyres saint Guy, saint Venceslas et saint Adalbert, le choeur occidental étant consacré à Notre-Dame. L'édifice la cathédrale résista même à l'incendie qui éclata au Château et elle fut achevée sous le règne du premier roi de Bohême Vratislas vers 1090. A cette époque-là, on construisit également le couvent de l'église de Prague — siège du chapitre métropolitain fondé à la fin du millénaire. Il a joué un rôle important dans la culture et l'instruction — son école latine fut, avant la fondation de l'université, un centre d'enseignement du plus haut degré — et aussi dans l'évolution de l'État qui ne pouvait se passer des activités administratives et diplomatiques des érudits de l'Eglise. Cependant, le roi Vratislas Ier tenta de compenser l'influence excessive des chanoines de Saint-Guy par la fondation d'un nouveau chapitre à Vyšehrad. On doit au chapitre Saint-Guy la plus ancienne chronique conservée en Bohême dont l'auteur est Kosmas, personnage érudit, d'une grande largeur d'esprit (†1125). Il trans-

Datant du XVIᵉ, l'aile Louis du Palais Royal du Château de Prague
est un exemple du pur style Renaissance dont
l'auteur fut Benedikt Ried de Pístov

31

crivit au cours de sa longue vie d'anciennes histoires, légendes, aussi bien que des témoignages authentiques d'événements se déroulant dans le pays et en Europe.

Au 12e siècle, le Château de Prague passa par une période bien tumultueuse, mais en dépit des différentes péripéties, des relèves des souverains et des fureurs militaires, un épanouissement irrésistible du pays et notamment du faubourg sous le Château se refléta dans sa croissance et l'aspect architectural conservé pratiquement jusqu'à la moitié du 14e siècle. Après 1135, le prince Soběslas Ier se mit à reconstruire le Château de Prague dans «metropolisi Bohemiae more Lationorum civitatum colpit renovari», c'est-à-dire qu'il commença à remanier le principal château de Bohême d'après le modèle des villes romanes situées à l'ouest des forêts frontalières tchèques. Le périmètre entier des murailles du Château fut soigneusement maçonné en pierres de taille blanches et fortifié, ce qui est encore apparent dans la segmentation intérieure et sur les façades des bâtiments les plus récents du Château, notamment dans les parties sud et ouest. Aussi le palais princier situé à l'extrémité sud du Château fut-il remanié pour devenir le siège représentatif à trois tours et la chapelle de la Toussaint à un niveau. Le siège des évêques pragois fut également restauré. Son fragment se distingue jusqu'à nos jours dans le front de l'édifice de l'ancienne prévôté dans la troisième cour du Château. Après le siège du Château de Prague par Konrád Znojemský en 1142, au cours duquel un incendie éclata «à partir d'une flèche ignée», on remania la basilique et le couvent des benédictines Saint-Georges. Les mères supérieures du couvent étaient, d'après sa fondatrice — soeur princière Mlada — membres de la dynastie monarchique ayant le titre de princesse-abbesse et ayant le droit de couronner les reines de Bohême. Le couvent devint un institut d'enseignement de prestige pour les jeunes filles de la noblesse et il intervint considérablement dans l'évolution de la culture musicale et des beaux arts au Moyen-Age.

Le 13e siècle fut caractérisé par l'essor de l'État médiéval de la Bohême. Přemysl Otakar Ier obtint la reconnaissance diplomatique de la souveraineté de l'État de Bohême et de l'hérédité de la dignité royale. Ses efforts furent couronnés en 1212, par la délivrance de l'acte de Frédéric II, appelé, d'après son cachet «bulle d'or de Sicile». Sous le règne de Venceslas Ier, le Château de Prague fut témoin d'un combat mené pour le pouvoir entre le roi et son fils Přemysl Otakar.

Les activités fondatrices des Přemyslide se concentrèrent, dans la période de l'essor économique sur la fondation de nouvelles villes et sur la construction de nouveaux châteaux dans le pays. Un autre élargissement du Château se produisit à l'ouest où l'on créa une vaste localité. Les fortifications furent perfectionnées, au palais originairement roman, on ajouta, à l'étage supérieur, un couloir aux arcades et neuf arcs pointus déjà en style gothique. La chapelle de la Toussaint fut annexée également au palais.

Après la bataille fatale du champ de Moravie (1278) où Přemysl Otakar II fut tué et, après des pertubations survenues dans le pays, le fils de Přemysl, Venceslas II finit par concentrer de nouveau entre ses mains le pouvoir royal d'une manière solide et grâce à sa politique intérieure perspicace, ses intrigues et grâce à ses capacités d'éliminer successivement sur le plan diplomatique ses adversaires, il conduisit le pays à une nouvelle prospérité. Il fut également couronné roi de Pologne. On lui offrit aussi la couronne hongroise que son fils Venceslas III finit par accepter. Le Château de Prague devint ainsi pendant cette ère, le siège du monarque puissant visant les plus hauts objectifs du monde chrétien de l'époque. La mort emporta ce roi qui était de santé fragile et l'empêcha d'obtenir la couronne de l'empereur romain.

L'aspect architectural du Château de Prague et le pouvoir croissant du roi de Bohême furent influencés, dans une large mesure, par l'argent dont l'extraction se faisait à plusieurs endroits en Bohême, en premier lieu dans la ville de Kutná Hora, laquelle devint, à part la ville de Prague (la Vieille-Ville) la ville la plus riche et la plus grande du pays. En 1300, on commença également à frapper une nouvelle monnaie en argent tchèque — appelée «gros de Bohême».

Après la mort de Venceslas II en 1305, son fils Venceslas III, encore trop jeune, ne régna pas longtemps, car il fut tué par un assassin engagé en 1306

La façade néo-gothique de la cathédrale Saint-Guy, ainsi que ses
tours datent de l'époque de l'achèvement de l'édifice
à la fin du XIXe siècle et au début du XXe siècle

33

Les formes baroques plus évacuées des statues de saints font pendant
aux lignes gothiques sobres et polies

Un détail du choeur de la cathédrale Saint-Guy. Les vitraux réalisés d'après un dessin de Max Švabinský, retracent la Sainte Trinité, avec la Vierge Marie et le prince Gnytibněv sur la gauche, et saint Venceslas et Charles IV sur la droite.

La nef fut construite sur les plans de Mathias d'Arras dans la deuxième
moitié du 14ᵉ siècle. La voûte du presbytère, chef d'oeuvre
d'architecture, est le travail d'un Français.

La cathédrale Saint-Guy abrite également les reliques de saint
Jean Népomucène, cannonisé en 1729. Le tombeau
fut construit entre 1733 et 1736

dans la ville d'Olomouc (Moravie) où l'armée royale se réunissait pour aller en Pologne.

Après un court interrègne de Rodolphe d'Autriche, puis celui de Henri de Carinthie, monta sur le trône de Bohême, Jean de Luxembourg, fils de Henri VII, comte de Luxembourg, roi et empereur romain. Jean de Luxembourg avait épousé Elisabeth Přemyslide, dernière princesse célibataire des Přemyslide. Le jeune Jean Iᵉʳ arriva en Bohême en 1310 avec son armée et après une courte campagne contre les partisans du roi détrôné Henri de Carinthie, il entra victorieusement le 6 décembre à Prague qui avait été dominée entre-temps par ses partisans et ceux d'Elisabeth. Le 7 février 1311, Jean et Elisabeth furent couronnés par l'évêque de Mayence Pierre d'Aspelt dans la basilique Saint-Guy au Château de Prague. Cependant, le banquet de couronnement dut se tenir dans le monastère des frères mineurs Saint-Jacques, en bas de la ville car le Château fut pratiquement inhabitable après l'incendie survenu en 1303 et après le séjour récent des troupes de Misnie que l'ex-roi Henri de Carinthie avait appelées pour le protéger.

Il est difficile de tracer un portrait de Jean de Luxembourg. Il était connu comme roi-diplomate, guerrier et batisseur, il représentait les vertus chevaleresques de l'époque. Le monde chrétien admira sa bravoure, sa pondération était cependant souvent altérée par des actions impulsives. Même si la plupart du temps il délaissait la gestion du pays, hormis lorsqu'il avait besoin d'emprunter de l'argent à ses sujets, il porta avec fierté les blasons du roi de Bohême dans toutes les cours et sur tous les champs de bataille d'Europe; jusqu'au 26 août 1346, où Jean, déjà aveugle à l'époque, s'en alla à la guerre attaché, comme il l'avait désiré, entre deux chevaux montés par ses sujets et fut tué, l'épée à la main, dans les rangs de la chevalerie française en se battant contre les Anglais à Crécy.

C'est à cette époque que son fils Charles fut élu roi romain, conformément au testament de son père datant de 1340, à la suite d'une décision des États généraux de Bohême et par les actes d'hommage rendus par Prague et les princes de Silésie en 1341. Il devint également roi de Bohême. Il avait déjà ré-

gné treize ans en Bohême en tant que délégué de son père, presque toujours absent et, par conséquent, il avait d'immenses expériences. A l'âge de sept ans, son père l'avait amené en France à la cour royale où la reine Marie s'était occupée de lui. Officiellement c'était pour son éducation, mais il y avait un motif caché: la crainte qu'avait Jean d'être détrôné en Bohême par son fils mineur. Toutefois, le voyage de Charles eut pour son avenir, de même que pour le pays tchèque, les meilleures conséquences; une érudition parfaite, une grande largeur de vue quant à la diplomatie et des ambitions culturelles. C'étaient des qualités sans doute nécessaires pour le futur monarque tchèque. Son éducateur fut Roger des Rosiers, originaire de Limoges, abbé de Fécamp et plus tard le pape Clément VI qui était, «un homme éloquent et érudit, pourvu d'une grande noblesse de moeurs». Le prince héritier fut favorablement influencé par l'ambiance spirituelle de la Sorbonne et la théorie et la pratique juridiques des légistes de la cour de France.

Au cours des deux dernières années précédant son retour dans la patrie, son père l'initia aux obligations imposées au monarque — tout d'abord dans le comté du Luxembourg et plus tard dans le milieu ardent de la seigneurie luxembourgeoise en Italie du Nord où il représenta pendant un certain temps son père.

On évoque la jeunesse de Charles un peu plus amplement pour mettre en évidence les raisons pour lesquelles il pouvait, après être rentré au pays à l'âge de dix-sept ans, se présenter avec assurance en tant que monarque pondéré et énergique, perspicace et pourvu d'une grande culture, ce souverain parvint presque à réaliser tout ce qu'il avait projeté.

Charles prit des mesures énergiques pour débarrasser les domaines de la couronne de ses dettes et des gages qui avaient été mis en jeu. Il se mit, selon le modèle des rois de France, à restaurer le Château de Prague. Tout d'abord, il fit reconstruire complètement le palais royal, tout en procédant avec modération. Il chercha à trouver de nouvelles solutions et à marier les éléments architectoniques avec la tradition accentuée et le «genius loci». Le nouveau palais respectait pleinement les anciennes parties précieuses de l'édifice — les fondations romanes, de même que les parties conservées du palais de Přemysl Otakar II. La grande salle, liée par le pont

La façade baroque de l'église Saint-Georges, à l'intérieur du Château, camoufle
aux yeux des visiteurs l'originale basilique romane à trois
nefs avec ses deux célèbres tours blanches

La partie la plus pittoresque du Château de Prague est la ruelle d'Or,
avec ses maisons miniatures implantées dans le mur d'enceinte
qui borde le fossé-aux-cerfs

avec la chapelle de la Toussaint — mirabili opere — constitua la pièce principale. Le noble édifice aux riches roses et aux vitraux colorés fut, sans doute, construit selon le modèle de la Sainte Chapelle à Paris. Charles essayait par tous les moyens, de renforcer la juridiction et le rôle du pays à l'étranger. Un de ses projets fut l'achèvement des efforts centenaires des monarques Přemyslide visant à liberer le pays de la subordination de l'archidiocèse de Mayence. Charles réussit à obtenir la bulle de Clément VI. On désigna pour premier métropolitain Ernest de Pardubice, personnage d'une grande érudition qui devint plus tard chancelier et précieux conseiller de Charles. La même année, on posa la première pierre de la nouvelle Cathédrale Saint-Guy, dont l'édification fut commencée par Mathias d'Arras. Même ici, Charles procéda d'une manière novatrice, respectant naturellement la tradition du lieu. Le nouvel édifice conserva l'ordre des chapelles et la consécration des autels, et entre autres la chapelle Saint-Venceslas, qui devint par la suite le foyer idéologique du pays. De sa propre expérience acquise pendant son séjour à la cour de France, Charles comprit l'importance profonde du couronnement et de la symbolique de cet acte. La couronne des rois de Bohême fut consacrée au patron princier, même si Charles IV la fit sensiblement remanier et enrichir de nouvelles pierres précieuses et reliques, tout en assurant sa protection et son statut même sur le plan juridique — d'un côté par l'établissement de l'Ordre du couronnement des rois tchèques, de l'autre côté par la bulle de Clément VI, l'autorité suprême de l'Eglise, qui l'accorda dans ce sens à son protégé.

Toutefois, grâce à Charles, le Château de Prague est devenu aussi le château résidentiel du roi romain, et plus tard de l'empereur du Saint-Empire Romain. Il était le centre des délibérations diplomatiques, des visites des souverains, tout comme le nouveau château de l'empereur, Karlstein (Karlštejn), situé non loin de Prague, sur la route menant à Nuremberg. L'équipe d'artistes engagée par Charles comprenait des personnalités telles que Pierre Parler, maître de l'atelier Saint-Guy ou Teodorik et Nicolas Wurmser, tous deux peintres. Elle exerçait ses activités de construction également dans les villes pragoises,

dans la Bohême toute entière et dans d'autres pays. Les arts décoratifs connurent un essor inouï, par exemple l'orfèvrerie pragoise qui puisait son inspiration auprès des oeuvres que Charles avait ramené de ses nombreux voyages, lesquelles les incitaient à une certaine compétitivité.

Lorsqu'en 1378, Charles IV décéda, il laissa au sein de la résidence royale un organisme actif et créateur. Cependant, sous le règne de son fils Venceslas IV, la situation changea. Les travaux de construction se poursuivirent, les arts décoratifs se développèrent, même si ce fut à un rythme beaucoup plus lent, le roi lui-même s'installa dans la Vieille-Ville à la Cour royale qui est devenue par la suite, la résidence monarchique pendant une centaine d'années.

Dans la première période de la révolution hussite, le Château disposa de la garnison solide du roi Sigismond de Luxembourg que les hussites n'avaient pas accepté et qui représentait, par conséquent, une menace à la Prague des hussites. Pour cette raison, les hussites pragois l'assiégèrent au printemps 1421, et dès que la garnison en désespoir de cause, se rendit, ils occupèrent le Château.

Sous le règne des Jagellon, des remaniements de grande envergure s'effectuèrent au Château de Prague, liés notamment au nom de Benedikt Ried de Pístov. Il commença par reconstruire les fortifications du Château, car il était nécessaire, vu le développement de la technique d'artillerie, de le renforcer. Il s'agissait, en premier lieu, d'augmenter la capacité de défense des deux portes d'entrée — à celle de l'ouest on dressa une fortification avancée et devant celle de l'est, on éleva une barbacane. L'ensemble fut complété de plusieurs beffrois, dont le plus connu s'appelle Daliborka, servant aussi de prison. La maîtrise de Ried laissa cependant ses empreintes ineffaçables lors de la restauration du palais royal. La petite salle d'audience de Vladislas et la salle Vladislas datant de 1490—1502 sont les monuments les plus précieux de cette époque. Leurs voûtes arquées donnent une impression monumentale, de même que l'escalier dit équestre; c'est-à-dire le principal escalier solennel de la salle Vladislas. La restauration de l'aile occidentale du palais royal et le nouvel oratoire royal dans la cathédrale sont sans doute l'oeuvre du maître Hans Spiese de Francfort. Benedikt Ried de Pístov construisit, entre les années 1503 et 1510 une aile du palais dite l'aile Louis déjà en pur style Renaissance. La façade de ce bâtiment donnant sur la ville est pourvue de fenêtres Renaissance primitive.

Le roi Jagellon périt tragiquement en fuyant à la suite d'un combat perdu avec les Turcs à Mohač en Hongrie et la Bohême élit, en 1526, un nouveau roi. C'était le beau-frère de Louis, l'archiduc Ferdinand d'Autriche, frère de l'empereur Charles V. Il est étonnant que les représentants du pays des États puissants, pour la plupart non-catholiques, choisirent pour monarque un catholique convaincu et un ferme représentant du gouvernement centralisé. Il est vrai que Ferdinand signa un acte réversal où il s'engageait à respecter les droits coutumier et codifié, tout en étant cependant décidé, en vue d'édifier la monarchie des Habsbourg en Europe Centrale, à le respecter. Ses tentatives visant à la recatholisation, ses restrictions politiques concernant la bourgeoisie ainsi que ses efforts déployés en faveur de la centralisation devinrent un revers de son règne qui se prolongea jusqu'aux années 1560 lorsqu'il succéda à son frère sur le trône impérial. Toutefois ses soins portés au Château de Prague se rangent parmi les aspects positifs de son règne.

L'ancien château fort médiéval se transforma en résidence Renaissance. Ferdinand se mit à édifier de nouvelles chambres royales situées à l'ouest de l'ancien palais royal, derrière le Fossé-aux-cerfs (Jelení příkop), il fonda le Jardin royal et le Pavillon royal d'été (Královský letohrádek), dont les plans ont été dessinés par Paolo della Stella. Le Jardin royal (Královská zahrada), datant d'après 1534 est un des exemples les plus purs de la Renaissance italienne importée du nord des Alpes, il fut créé sur le modèle des jardins italiens, composé de maintes espèces exotiques et d'éléments de la flore méditerranéenne.

La réalisation du projet Renaissance du Château de Prague fut, pour un certain temps interrompue par un incendie qui ravagea, le 2 juin 1541, toute la rive gauche de Prague. A cette époque, le frère de Ferdinand, l'empereur Charles V, l'obligeait à s'occuper pleinement des affaires de l'empire. En août 1547, Ferdinand régla cruellement son compte, à l'assemblée des États généraux dite «la Saint-Barthélemy sanglante», avec la première révolte contre les Habsbourg et le Château de Prague fut le témoin de ces moments humiliants vécus par les Pragois.

Le monarque laissa à Prague, en tant que délégué, son cadet Ferdinand, plus tard archiduc du Tyrol, qui y tenait avec son épouse Philippine Welser une cour de style Renaissance. Il se rapprocha du milieu tchèque et contribua au château à l'épanouissement de la Renaissance et de la pensée humaniste.

L'édification de la résidence Renaissance au Château de Prague, à laquelle se joignit après l'incendie la haute noblesse, se poursuivit par la construction des palais, même après le successeur de Ferdinand, Maximilien II et aboutit sous Rodolphe II. Pendant les trois décennies de son règne, le Château de Prague redevint la résidence impériale, le commerce se réanima, les métiers et les arts s'épanouirent de nouveau. Toutefois, le souverain hautement érudit et cultivé se retirait de plus en plus de la vie publique, rongé par une grave maladie, physique et psychique. Mais il ne cessait de faire valoir son goût dans l'édification de nouveaux ouvrages, dans la décoration de bâtiments et jardins et il se vouait à sa passion de collectionneur. Sous Rodolphe II, le Château finit de vivre le chapitre Renaissance déjà en phase de maniérisme. A côté du remaniement de la chapelle de la Toussaint et des décors de la cathédrale Saint-Guy, l'empereur fit construire un nouveau palais à deux grandes salles, une aile plus courte en face de l'église Saint-Guy avec une tour mathématique et à côté, la nouvelle Salle espagnole. L'actuelle ruelle d'Or vit également le jour. La cour de Rodolphe fut un des premiers centres du maniérisme européen dont l'importance fut appréciée à juste titre seulement à notre époque. Prague est devenue un carrefour des artistes, des savants, des alchimistes et des astrologues, un marché des arts où dominait la passion de l'empereur. L'ar-

Quelques tours cylindriques se dressent au-dessus de la fortification
nord du Château, datant de la fin du 15e siècle et du début
de 16e siècle. Vue du fossé-aux-cerfs

deur avec laquelle il accumulait les oeuvres d'art, les objets de la nature, les curiosités, les trouvailles antiques occupaient des dizaines de commissionnaires. L'empereur était un mécène généreux pour tout le monde et ainsi, il vivait entouré non seulement de savants et d'artistes mais aussi de charlatans et d'imposteurs. A cette époque-là s'installa à Prague une nombreuses colonie d'artistes, de graveurs sur bois, de tailleurs de pierre, de bâtisseurs et de stucateurs d'Italie, maints autres arrivèrent de Rhénanie et des Pays-Bas et toute une série de familles s'y est acclimatée. Cependant, derrière les murailles du Château, les conflits se faisaient entendre avec persistance — il y eut les guerres

contre les Turcs, et surtout une crise religieuse en Europe qui secoua également le royaume tchèque. La plupart des États non-catholiques s'opposait à un groupe moins nombreux, mais plus influent de la noblesse catholique, dite partie espagnole.

I l est vrai que les réformés obtinrent encore les Lettres impériales des libertés religieuses, mais peu de temps après, le monarque, accablé par sa maladie et impuissant, succomba à son rival et frère Mathias et il décéda en 1612. Deux ans plus tard, en 1614, on construisit au Château la somptueuse porte

Deux autres points de vue sur la cathédrale Saint-Guy — de près apparaît davantage la finesse du travail des maîtres d'oeuvre du Moyen-Age, de loin par contre l'on peut admirer l'audace des architectes et maîtres qui l'ont dressée sur les hauteurs

Mathias qui annonçait, en même temps, un nouveau style de bâtiment — le baroque.

Le conflit entre la maison des Habsbourg et les États tchèques, en majorité protestants, atteint son apogée le 23 mai 1618 lorsque les conseillers impériaux, les catholiques Jaroslav Bořita de Martinice et Vilém Slavata de Chlum furent jetés par les fenêtres du deuxième étage de l'aile Louis du palais dans le fossé du Château. Les États victorieux appelèrent en 1619 sur le trône tchèque le chef de l'Union protestante allemande, Frédéric Palatin qui arriva à Prague le 31 octobre 1619. Le nouveau monarque, dont l'épouse Elisabeth était la fille du roi anglais Jacques Ier, fut couronné roi tchèque dans la Cathédrale Saint-Guy. Toutefois son règne au Château ne dura pas plus d'un hiver, et pour cette raison on l'appela le «roi d'hiver». La révolte des États tchèques se termina par la défaite sur la Montagne Blanche (Bílá hora) le 8 novembre 1620. Ceux qui ne s'étaient pas sauvés en fuyant ou en se convertissant à temps furent exécutés sur la Place de la Vieille Ville le 21 juin 1621. Dans le meilleur des cas, ils furent contraints de quitter le pays les mains vides. Le pays subit une forte pression administrative et militaire, la recatholisation forcée était imposée.

Les Habsbourg victorieux réduisirent le royaume tchèque à une province sans autonomie. La guerre de Trente ans dépeupla et ravagea le pays. Les armées du général suédois Königsmark arrivèrent (1648) pendant l'hiver à piller les collections de Rodolphe et autres trésors entreposés au Château et dans Malá Strana.

Malgré cela, déjà sous Ferdinand III, vers la fin de la guerre de Trente ans, l'édification d'un nouveau palais commença au Château d'après le plan de G. Mattei. En 1680, l'église conventuelle Saint-Georges reçut une nouvelle façade baroque à pignons. Le prévôté chapitral fut embelli d'un fronton avec un relief du saint et remanié dans un style baroque. Dans les années 1720, on flanqua la chapelle Saint-Jean Népomucène du fronton baroque de l'église Saint-Georges. Dans les années 1670, le Château et les jardins furent entourés de fortifications ininterrompues avec bastions. L'édifice de la cour de la Cathédrale

Saint-Guy vécut sa résurrection, car l'empereur Léopold Ier, se fiant à la prophétie prédisant que celui qui achèverait la cathédrale chasserait les Turcs de l'Europe, posa la dernière pierre de la cathédrale. A part les constructions des palais et des bâtiments sacraux, plusieurs chapelles de moindre importance s'élevèrent au Château, et dont les extérieurs et les intérieurs furent décorés dans le style baroque.

Le Château fut également fort endommagé par les guerres menées pour l'héritage autrichien et par la guerre de Sept ans pendant laquelle l'armée ennemie lui asséna des coups de canon. Elle fut également endommagée lors des sièges de 1744 et 1757 par l'artillerie prussienne. Malgré cela, une restauration de grande envergure du Château fut commencée sous la direction de l'architecte viennois Nicolas François Paccassi sous le règne de l'impératrice Marie-Thérèse. Le panorama du Château obtint, grâce à cette édification étendue, un aspect massif de tendance classiciste. La période baroque s'acheva donc au Château par une transformation architectonique monumentale.

Néanmoins, au 19e siècle on réussit à réaliser l'achèvement plusieurs fois décalé de la cathédrale Saint-Guy. Sous l'influence du chanoine patriote Pešina de Čechorod, on fonda l'Unité pour l'achèvement de la Cathédrale Saint-Guy et le 1er octobre 1873, on posa sa première pierre. L'oeuvre fut achevée en 1929. A la suite du remaniement du Château par Paccassi et de l'achèvement de la cathédrale, le Château de Prague revêtit aspect actuel.

Après la naissance de la Tchécoslovaquie indépendante de 1918, le Château de Prague est devenu le siège du président de la république. C'est le monument le plus important de Prague, un lieu symbolisant la tradition culturelle et historique et le présent libre.

Le Pavillon Royal d'été (Královský letohrádek). Le plus beau bâtiment au-delà
des Alpes, réalisé d'après les plans de l'architecte
Paolo della Stella

47

La vue la plus renommée de Prague — le Château de Prague
avec la Cathédrale Saint-Guy et le pont Charles reliant les
villes pragoises sur toutes les deux rives de la Vltava

HRADČANY

Le palais Martinic (Martinický palác) sur Hradčanské náměstí fut construit en 1583 dans le style Renaissance. Les figures en sgraffite ainsi que l'ornementation de la façade ont été préservées, tout comme bon nombre de fresques ornant les plafonds intérieurs

Au temps de la bataille menée devant le Château de Prague sous Henri de Carinthie, Hradčany n'était pas encore un endroit fermé. Il faut attendre l'époque du roi Jean pour parler de la naissance de Hradčany. Cependant, à l'origine il ne s'agissait pas d'une ville royale, mais d'une petite ville sujette appartenant au burgraviat de Prague. Pour cette raison, il me paraît plus probable qu'il fut fondé par un des burgraves pragois pour multiplier les appointements des biens à cet office. Il est plus que probable qu'il s'agisse d'Hynek Berka de Dubá qui assuma cette fonction le plus longtemps sous le règne de Jean, ainsi que celle de gouverneur.

EXTRAIT DU LIVRE D'HISTOIRE DE LA VILLE DE PRAGUE PAR
VENCESLAS VLADIVOJ TOMEK

49

Le palais Schwarzenberg est un pur modèle de construction Renaissance
par l'architecte Agostino Galli, datant
da la moitié du 16ᵉ siècle

Vladislas II fonda, pour l'ordre des Prémontrés le couvent de Strahov (Strahovský klášter) et son église de l'Assomption (kostel Nanebevzetí Panny Marie) en 1140. Le monastère doit son apparence actuelle à un remaniement baroque ultérieur

Une des colonies les plus anciennes du périmètre pragois commença probablement à se former sur l'emplacement situé à l'ouest du Château de Prague. A ces endroits, le terrain monte légèrement et s'élargit en espace entouré au sud et au nord par des pentes naturelles. La première localité devant le Château sur le tertre de Hradčany existait sans doute déja au 11e siècle, mais les preuves manquent. En tout cas, ce fut après l'an 1320 que le burgrave suprême de Prague, Hynek Berka de Dubá, fonda la petite ville sujette de Hradčany, partiellement fortifiée et dans laquelle on entrait par trois portes. Les artisans, les domestiques du Château, le clergé, mais aussi les nobles dont les obligations vis-à-vis de la cour et de l'église Saint-Guy exigeaient la présence venaient s'y installer. Vers 1353, on mentionne déjà dans le Livre municipal de Hradčany l'église paroissiale Saint-Benoît qui se trouvait à l'angle sud-ouest de l'actuelle place de Hradčany.

Après la construction des fortifications somptueuses entourant Prague sur la rive gauche et dont l'auteur fut Charles IV, un faubourg appelé Pohořelec naquit à l'ouest de la porte originale de Strahov à Hradčany, entre les fortifications du cloître de Strahov et les nouvelles fortifications de Charles du faubourg appelé Pohořelec, lesquelles comprenaient aussi l'espace situé au nord-ouest de Hradčany où un nouveau quartier naquit sous Rodolphe II — le pittoresque Nouveau Monde (Nový Svět).

Le début de la révolution hussite fut un désastre pour la petite ville de Hradčany, car dans la période des combats pour la domination du Château de Prague, Hradčany fut en grande partie brûlé et démoli par les hussites et par la garnison royale. Il ne se reprenait que doucement de cette ruine. Ce ne fut que sous le règne des Jagellon, en liaison avec les constructions effectuées au Château, que la ville se ranima. On construisit une mairie dans la partie supérieure de la place de Hradčany. Cependant Pohořelec restait toujours désert.

L'essor de la petite ville fut néanmoins freiné par un grand incendie qui, de Malá Strana, avait gagné le Château et Hradčany en 1541. C'est à cette époque qu'une partie considérable des maisons reconstruites furent réduites en cendres. La ville se reprit seulement dans la seconde partie du 16e siècle,

La partie la plus frappante de la façade du palais épiscopal représente les armes de l'ancien évêque de Prague Antonín Příchovský dont les fonds permirent la reconstruction de l'édifice

et fut élevée en 1598 au rang de ville royale. Il va de soi que les citadins bâtirent la mairie en style Renaissance, à droite, à la jonction de la rue de Lorette et de la place de Hradčany. Dans cette période-là s'élevèrent à Hradčany de jolis palais de style Renaissance, par exemple celui de Lobkowicz (plus tard Schwarzenberg), ou le palais des Gryspek acheté plus tard pour l'archevêché de Prague, reconstitué par Ferdinand Ier, ou bien la maison de Christophe Popel de Lobkowicz (plus tard palais Šternberk).

Au cours de la guerre de Trente ans et d'autres guerres, la ville n'a jamais été épargnée des pillages et dévastations des troupes. Malgré tout, Hradčany reste une preuve convaincante de la beauté de la Renaissance, du baroque et des styles artistiques plus récents utilisés à Prague.

Le front nord de la place de Hradčany est dominé par le palais archiépiscopal, édifié depuis 1562, où l'archiépiscopat pragois fut confié à l'archevêque Antoine Brus de Mohelnice. Le palais subit un nouveau remaniement important sous l'archevêque Jean Frédéric de Wallenstein lorsque l'architecte Jean Baptiste Mathey lui donna l'aspect du baroque primitif. De nos jours, le palais a gardé un air du baroque tardif réalisé par l'architecte Jean Joseph Wirch de 1764 à 1765, aux frais de l'archevêque Antoine Příchovský.

En traversant la palais archiépiscopal à gauche, on arrive au palais Šternberk, important édifice baroque bâti pour Venceslas Adalbert de Šternberk par les architectes Giovanni Battista Alliprandi et Jean B. Santini-Aichl. Dans le palais est installée la Galerie Nationale avec ses collections européennes. Ce sont, en premier lieu, les collections des primitifs italiens, des vieux maîtres hollandais, du cinquecento italien, les peintures flamandes et hollandaises du 17e siècle et les peintures Renaissance transalpines. La collection de la peinture française des 19 et 20e siècles est conçue comme une partie indépendante.

Sur le côté nord de la place se trouve un pâté de maisons baroques des chanoines du chapitre Saint-Guy, jusqu'au palais Renaissance des comtes Martinic, se trouvant au tournant débouchant dans la rue des Chanoines (Kanovnická ulice) et remanié encore dans la moitié du 17e siècle par sa propriétaire Hélène Barbe Kostomlatská de Vřesovice.

En descendant la rue des Chanoines, on arrive à l'église baroque Saint-Jean Népomucène, magnifique édifice construit par Kilian Ignace Dientzenhofer en 1720—1729, et ensuite aux édifices du couvent des soeurs ursulines. La somptueuse fresque ornant l'intérieur de l'église est une oeuvre de Venceslas Laurent Reiner des années 1727—1728.

Le côté occidental de la place de Hradčany est constitué par le fronton du palais des ducs de Toscane dont la façade principale domine l'espace tout entier.

Le côté sud est occupé par les deux palais Schwarzenberg, dont le plus important, aux pittoresques pignons ornés et sgraffites provient de la seconde moitié du 16e siècle. Il est l'oeuvre du bâtisseur Agostino Galli. C'est un des exemples les plus évolués de l'acclimatation de l'architecture Renaissance italienne en Bohême. Le second palais à l'angle de la place, en face du Château, est en style classicisme du début du 19e siècle et il fut construit aux frais de l'archevêque Guillaume Florentin Salm-Salma. Derrière le complexe de l'ancien couvent des carmélites, à l'angle sud-ouest de la place convergent deux voies de communication : le première, piétonne — un vaste escalier appelé «escalier de mairie» débouche par de pittoresques boucles et passages à Malá Strana, la seconde, la rue de Lorette, est une des principales artères de Hradčany. A leur point d'intersection se dresse le bâtiment Renaissance de l'ancienne mairie de Hradčany. La rue, bordée pour la plupart de palais et maisons Renaissance débouche place de Lorette, portant le nom du lieu de pèlerinage — Lorette. L'édifice en style baroque roman du 17e siècle fut construit, selon les plans de l'architecte Jean Baptiste Mathey, par le bâtisseur Giacomo Antonio Canevalle aux frais du comte Michel Oswald Thun aux 17e et 18e siècles. A l'origine sans étages, le bâtiment est actuellement entouré de cloîtres, et possède sept chapelles. Le corps est une copie de Santa Casa de Bramant, sanctuaire de pèlerinage à Lorette en Italie. La Casa Santa de Prague fut construite dans les années 1626—1627 par le bâtisseur Giovanni Battista Orsi aux frais de la comtesse Benigne de Lobkowicz.

Cette partie de Hradčany s'appelle à l'heure actuelle Nový Svět (Le Nouveau Monde)
et est une des rues les plus romantiques
et pittoresques de Prague

55

En élargissant la chapelle principale, dans l'axe de l'édifice, on bâtit, avec la participation de Christophe Dientzenhofer dans les années 1720, l'église de la Nativité, aux ménagements et remaniements auxquels participa Kilian Ignace Dientzenhofer. Dans le clocher de Lorette, le fameux carillon joue toutes les heures une mélodie de la litanie mariale, laquelle est inséparablement liée à l'atmosphère de Hradčany. La Lorette abrite également une vaste collection d'habits de cérémonie et d'argenterie liturgique des périodes Renaissance et baroque. Le célèbre ostensoir en diamant, appelé aussi «Soleil de Prague» est une sorte de symbole du lieu et de la collection du trésor de Lorette. C'est une conception de l'architecte viennois Jean Bernard Fischer d'Erlach et il est orné de six mille cinq cents diamants. Le calice gothique tardif, aux figures d'émail des patrons tchèques datant du début du 16e siècle est la pièce d'orfèvrerie la plus ancienne.

La splendeur baroque de la Lorette contraste avec la simplicité ostentatoire du cloître voisin des capucins de la période datant d'après 1600, élevé sur le terrain de Marguerite de Lobkowicz. Dans le mur à pignon de l'église de la Sainte-Vierge-des-anges sont encastrées, en guise de mémoire, des boulets rappelant le cannonage de Prague par l'armée prussienne de Frédéric-le-Grand au temps des guerres avec Marie-Thérèse menées pour l'héritage autrichien. Actuellement l'intérieur de l'église reflète une harmonie parfaite et pendant les fêtes de Noël elle est recherchée par maints visiteurs à cause de sa célèbre crèche.

Toute la partie nord de la place de Lorette est occupée par la façade monumentale et en relief du palais Černín, dont le projet et la construction ont été assurés pour le comte Humprecht Jean Černín, délégué impérial à Venise par François Caratti avec la participation de Jean Decapauli et Abraham Leuther dans les années 1669—1677. Les descendants du fondateur continuèrent à aménager et à orner le palais jusqu'au 18e siècle. En 1742 et 1757, le palais fut gravement endommagé, tout d'abord par l'armée française, puis par le bombardement prussien. En 1851, il fut vendu à l'État et transformé en caserne. En 1928,

l'État tchécoslovaque se chargea du palais dévasté et il attribua l'édifice restauré au Ministère des Affaires Erangères. Au nord du palais se trouve l'admirable faubourg de Hradčany composé de maisons pittoresques et de petits palais — le Nouveau Monde — et à l'Ouest une place triangulaire, Pohořelec mentionnée ci-dessus. C'est surtout le front sud de la place qui est intéressant. Il est attenant aux bâtiments de l'ancienne brasserie de Strahov et se prolonge jusqu'à la porte d'entrée du couvent de Strahov, orné de la statue de saint Norbert. La magnifique église Saint-Roch en styles gothique et Renaissance datant de la période rodolphine et bâtie selon le projet de Giovanni Maria Filippi s'y trouve.

Le couvent de Strahov (Strahovský klášter) fut fondé en 1140, sur l'initiative de l'évêque d'Olomouc, Henri Zdík, par le roi Vladislas qui y installa l'ordre des prémontrés, nouveau à cette époque. Le complexe se trouve sur un emplacement stratégique (Strahov veut dire «position de garde», donc sur un tertre contrôlant l'accès à Prague de l'Ouest) et il est d'une étendue extraordinaire et d'une beauté extérieure remarquable. Le couvent de Strahov était parmi les plus riches du pays, il était renommé en tant que centre du grand savoir, il était aussi centre de la légation de l'ordre. L'église abbatiale de l'Assomption, basilique romane du 12e siècle, remaniée aux époques gothique, Renaissance et baroque, forme le corps actuel du couvent.

La bibliothèque conventuelle est l'endroit le plus précieux de Strahov. Elle contient des manuscrits — dont le plus ancien, l'évangéliaire en parchemin, provient du 9e siècle, des incunables et des ouvrages plus récents d'une étendue extraordinaire dans le domaine de la théologie, aussi bien que celui des sciences naturelles et sociales.

Les fonds bibliothécaires sont placés, pour la plupart, dans les intérieurs historiques aux ornements et mobiliers originaux. Après des décennies de séparation forcée, les prémontrés revinrent au monastère. Une vue unique sur Prague s'offre du monastère de Strahov, à gauche le Château de Prague et à droite les vertes collines de Petřín.

Un fragment préservé de la décoration Renaissance ornant la façade de la mairie
de Hradčany (Hradčanská radnice) dans une des parties inférieures
de la rue de Lorette (Loretánská ulice)

57

Là où la rue Loretánská débouche sur la place Hradčanské, se tenait autrefois l'hôtel de ville de Hradčany. Le bâtiment d'origine de style Renaissance, a subi des remaniements baroques dans la première moitié du 18ᵉ siècle

Vue féérique sur le sanctuaire pragois de Lorette avec sa célèbre
«Santa Casa» des années 1626—1631, son carillon
marial et son trésor

L'abbaye de Strahov, ancien couvent des prémontrés et l'église de l'Assomption-de-la-Vierge,
font partie des monuments du clergé les plus
anciens de Prague

Juste derrière le portail du couvent de Strahov surmonté de la statue de Saint-Norbert,
se tient la petite église Saint-Roch datant
des années 1603—1612

61

La place de la Vieille-Ville, depuis longtemps le centre naturel de la ville.
Les tours de Notre-Dame-de-Týn s'élèvent au-dessus des maisons
bourgeoises et des palais appartenant à la noblesse

LA VIEILLE-VILLE DE PRAGUE

La mairie de la Vieille-Ville, centre politique et économique de la Prague médiévale. Une partie de la décoration héraldique ornant le coin sud-est de la tour gothique de la chapelle date de la seconde moitié de XIVe siècle

Le roi Venceslas, dans la première année de son règne, et aussi au cours des années suivantes, comblait de ses faveurs le clergé séculier aussi bien que régulier, et il vénérait avec prédilection les églises de Dieu et leurs serviteurs. Néanmoins, après la mort de son père, il fit murer la ville de Prague et d'autres communes marchandes, et il ordonna de les fortifier avec du bois ou des pierres. Sous son règne, pendant de longues années la paix régna.

EXTRAIT DE LA SECONDE SUITE DE LA CHRONIQUE DE KOSMAS

De ce côté de la place de la Vieille-Ville se dresse avec majesté
de la haute tour le beffroi de l'Hôtel de ville,
de l'époque du gothique rayonnant

Le monument aux morts du maître Jean Hus, en style Art nouveau (début du 20ᵉ siècle) et l'église Saint-Nicolas, qui date des années 1730, sont de ceux qu'on remarque le plus parmi les monuments de la place de la Vieille-Ville

65

Les origines de la colonisation organisée sur la rive droite de la Vltava remonteraient déja à la fin du 10e siècle. Ses axes étaient délimités par les voies qui se dirigeaient vers les gués à travers la Vltava, et probablement vers le premier prédecesseur de l'actuel pont Charles — pont en bois sur lequel on aurait transporté le corps assassiné du prince Venceslas. Une mention du chroniqueur Kosmas portant sur deux colonies de commerçants dans le faubourg au-dessous du Château, laisse entendre que dans le premier cas il s'était agi probablement d'une colonie située dans les champs avoisinant directement le Château, tandis que dans le second on avait fait allusion à celle située sur une voie de communication entre Vyšehrad et le gué à travers la Vltava — quelque part entre l'actuel pont Mánes et le pont Charles — par où la voie aurait continué vers le Château de Prague. Cela correspondrait également à une importance croissante de cet emplacement sur la rive droite après que le prince Vratislas II y ait installé provisoirement sa résidence princière. A la même époque existait déjà sur la rive droite de la Vltava une colonie de commerçants allemands appelée «Na Poříčí», mais sans doute aussi d'autres, comme l'indique le récit de Kosmas racontant l'arrivée célèbre de Břetislas II à Prague en 1092 et «des foules acclamantes se trouvant aux diffé-rents carrefours des rues ou dans des églises dans le faubourg au-dessus du Château de Prague». A la fin du 11e siècle, le marché mentionné par le chroniqueur se situait probablement sur l'emplacement de l'actuelle place de la Vieille-Ville et encore après 1100, c'était un lieu où l'on organisait, outre les marchés du samedi, également les assemblées publiques, et le cas échéant, l'armée se réunissait. A titre d'exemple, en 1105, «sur le grand marché situé entre Prague (château fort) et Vyšehrad» l'armée de Přemyslide Svatopluk établit son camp.

Cependant après l'an 1100, le faubourg au-dessous du Château entre dans une nouvelle étape d'évolution, marquée par l'an 1230, où l'on se mit à construire des fortifications. Le trait caractéristique de la Prague romane à cette époque est une concentration de colonies sur l'emplacement du marché et entre l'actuel Petřín et le pont qui fut vers 1170 remplacé par le pont Judith en pierre.

Vers la moitié du 12e siècle, cette concentration de colonisations commença à prendre forme et au début du 13e siècle, la localité de la Vieille-Ville appelée «faubourg de Prague» ou «entre les deux chateaux» fut la cité la plus caractéristique sur le territoire de Prague. Le fort développement économique ainsi que l'enrichissement de certains citoyens furent à l'origine de l'activité de construction et influencèrent l'accrois-

Le portail de style gothique tardif de la mairie de la Vieille-Ville avec ses fleurs et ses crabes sculptés fut construit sous le règne des Jagellon

66

L'horloge astronomique (Staroměstský orloj). Le célèbre
calendrier peint avec les allégories de chaque
mois est de Josef Mánes

PRAGA·CAPVT·REGNI

L'inscription latine Praga caput regni (Prague, tête du royaume) sur les murs de la mairie
de la Vieille-Ville témoigne de l'importance passée de la ville,
de sa richesse et de ses aspirations politiques

sement de la population qui s'appuyait sur une forte immigration. Les arrêts permanents des commerçants étrangers, rendus possibles par des privilèges princiers, renforçaient l'importance du marché. Les commerçants étrangers trouvaient abri dans une vaste cour princière appelée «Týn», mentionnée pour la première fois sous le règne du prince Bořivoj II. On y percevait la douane sur les importations et le transit, appelée «ungeld» — d'où son appellation Ungelt. Elle servait également d'hébergement pour les commerçants qui s'y reposaient après leurs voyages bien pénibles, d'où son appellation «curia casta», cour joyeuse, ou bien hospitum.

L'aspect architectural des édifices dans une grande partie du faubourg sur la rive droite de la Vltava, la concentration autour du marché principal, la formation du réseau de rues et d'autres éléments donnèrent à la colonisation, déjà depuis la moitié du 12e siècle, un caractère urbain. Quoique la Prague romane connut un grand essor des activités du bâtiment, un nombre considérable d'habitants et un développement du commerce et des arts, on n'y appliquait pas jusque là les normes juridiques obligatoires, lesquelles influenceraient une cohabitation collective du faubourg au-dessous du Château tout entier. Et c'était justement ce trait caractéristique qui distinguait les villes médiévales des cités de type inférieur.

L'édification des fortifications commencées par le roi Venceslas Ier après l'an 1230, fut l'événement-clé d'une transformation du faubourg se situant sous le Château de Prague, dans la ville de Prague — civitas Pragensis — comme elle avait été appelée originellement d'après le Château. Les fortifications n'avaient cependant pas une importance uniquement militaire. Elles signifiaient également un nouveau renforcement de l'unité intérieure et extérieure des territoires urbains, en créant ainsi d'importantes prémisses juridiques et sociales pour un développement collectif de la vie urbaine.

L'enceinte entourant la nouvelle ville avait une longueur de 1 700 mètres et entourait une surface de quelques 140 ha. La double enceinte fut renforcée par une quantité de tours dont certaines atteignaient une hauteur de trente mètres et l'entrée dans la ville était gardée par des portes cochères. La tour du pont élevée à cette époque sur la rive gauche de la Vltava servait de tête de pont barrant le passage. Aux environs de la même période, les colons allemands arrivés dans le pays fondèrent la localité Saint-Gall qui conserva pendant un certain temps son autonomie.

En 1241, les fortifications furent achevées, ce qui conclut la transformation extérieure du faubourg sous le Château. Sans prendre en considération la fonction militaire, la ville fortifiée devint un complexe sensible-

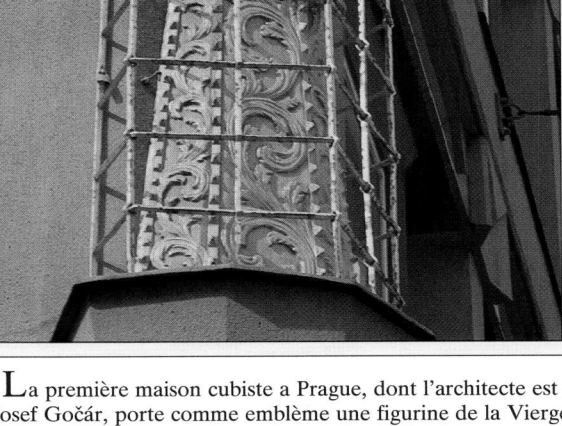

La première maison cubiste a Prague, dont l'architecte est Josef Gočár, porte comme emblème une figurine de la Vierge Noire derrière une grille dorée

La maison de style Renaissance «Aux deux ours d'or» dans la ruelle Kožná. Le célèbre reporter Egon Ervín Kisch y a passé son enfance

La partie nord de la place de la Vieille-Ville est bordée de maisons du 19ᵉ siecle,
construites dans des styles pseudo-historiques. Au centre de la place
se tient le monument dedié à Jean Hus

ment différent du complexe d'arrondissements ultérieurement dispersés.

A l'intérieur de la ville, le commerce et l'artisanat connaissaient un développement rapide, des monastères s'élevaient et à part le marché principal, s'établirent également des marchés secondaires.

L'arrivée du style gothique à Prague et en Bohême symbolise l'acte fondateur du roi Venceslas Ier. En 1233, il attribua de vastes terrains à l'édification d'un couvent de l'ordre des clarisses que sa soeur et la première supérieure sainte Agnès fit venir dans le pays. Le couvent avait été au départ destiné à l'ordre féminin de Sainte-Claire, cependant une partie fut également occupée par les frères mineurs. L'influence d'Agnès se refléta dans l'édification du complexe conventuel durant un demi-siècle, aussi bien que dans la vie spirituelle, culturelle et politique du pays. La princesse érudite, refusa des demandes en mariage, avantageuses sur le plan dynastique et préféra consacrer sa vie au Christ, aux pauvres et aux malades. Elle fut, grâce à son érudition, ses contacts et sa diplomatie un personnage éminent du 13e siècle.

Sous le règne de Přemysl Otakar II, Prague connut un grand essor. Les villes pragoises, selon un témoignage du chroniqueur de l'époque, «acquirent sous son règne des richesses particulièrement importantes et un certain bien-être, ce qui était dû également à la renommée de la cour bien approvisionnée et à l'étendue de l'empire d'Otakar... attirant même les étrangers provenant des régions très lointaines dans la capitale de Bohême». Le commerce et les marchés hebdomadaires étaient contrôlés par les commerçants locaux et, à la fin du 13e siècle, sous une pression des artisans représentant une couche nombreuse de la population, un système professionnel de commerce et d'artisanat s'appuyant sur des corporations commença à se développer.

U n essor extraordinaire du bâtiment régnait dans les villes, notamment dès la moitié du 13e siècle. A cette époque-là le couvent et l'église Saint-Jacques (kostel sv. Jakuba) virent le jour, on entama une restauration de l'église Notre-Dame-de-Týn et les activités intenses de construction s'emparèrent du complexe du couvent d'Agnès. En ce temps, l'ordre des dominicains fonda l'église Saint-Clément à proximité du pont Judith, jouxtant le couvent des Chevaliers de la croix à l'étoile rouge.

Le développement du commerce et de la production sous Přemysl Otakar II créa des conditions favorables à l'accroissement du potentiel financier de la bourgeoisie. Le patriarcat financier eut un rapide essor sur le

La pierre tombale de Tycho Brahe, qui passa les dernières années de sa vie en exil à la cour de l'empereur Rodolphe II. Il fut enterré dans l'église Notre-Dame de Týn en l'an 1601

71

Vue de la tour de pont de la Vieille-Ville. Tout de suite à gauche, il y a la coupole de l'église Saint-Francois-Séraphin et au milieu, la façade de l'église Saint-Sauveur, place des Chevaliers de la Croix

La façade de l'église Saint-Jacques est dominée par un relief de la fin du XVIIe siècle, réalisé par Ottavio Mosto

72

Un des nouveaux magasins qui sont apparus dans les petites rues de la Vieille-Ville
ces dernières années et ont rendu plus vivante
cette partie de Prague

73

La façade néo-Renaissance de la maison Rott (dům U Rotta) sur Malé náměstí
(la Petite place) avec sa superbe fontaine, est ornée de fresques
exécutées d'après les dessins de Mikoláš Aleš

plan social et pécuniaire, profitant même des parts prises à l'extraction de l'argent et des transactions avec les métaux rares, ce qui conduisit à un développement de la construction urbaine. Là aussi, le gothique imposa successivement ses formes, dispositions et dimensions quoique plus difficilement qu'avec les constructions de type sacral.

L e processus intérieur d'unification de la ville dans le sens juridique du mot culmina vers 1287. Le bailli était à la tête de la ville assisté de douze échevins désignés par le roi, ils géraient la juridiction et l'administration de la ville. Il est à noter que cette année-là, le roi Venceslas publia une interdiction de port d'arme dans la ville, qu'on ne respectait d'ailleurs pas. C'était le droit de Nuremberg qui était considéré comme base juridique de l'unification, mais en réalité c'était le «miroir souabe» qui subit des modifications locales, en faisant des concessions même dans le droit de Magdebourg. Ni même après cette unification, le territoire de la ville ne devint un ensemble tout à fait uni, car de petits îlots restaient entre les mains des institutions de l'Eglise.

Même en dépit de ses richesses croissantes, la bourgeoisie ne réussit pas à affaiblir le rôle du bailli royal et à augmenter l'influence des échevins. Venceslas II, lorsqu'on lui demanda en 1296, de permettre l'établissement de la mairie municipale, ne céda pas, même s'il accordait en général sa faveur aux villes et aidait plutôt leur développement. Toutefois, la désobligeance du roi tirait son origine dans la méfiance vis-à-vis des libertés politiques des villes. Les richesses croissantes du patriarcat au début du 14e siècle augmentaient, et au fur et à mesure, ses ambitions politiques dépassaient les dimensions urbaines. Après la mort de Venceslas III en 1306, et par là, une défaillance de la descendance masculine, le patriarcat pragois se divisa en deux groupes rivaux dont l'un, qui avait à sa tête les Velflovici soutenait Henri de Carinthie comme prétendant au trône tchèque, tandis que les Olbramovici et d'autres étaient partisans de la candidature des Habsbourg. Une lutte sans merci pour la prise du pouvoir fit que la ville ne connut pas de paix dans la vie politique, et plusieurs combats eurent lieu. Cependant ces combats menés au début du 14e siècle montrèrent également que le système de fortifications était tellement réussi que la ville pouvait être dominée

uniquement à l'aide des alliés à l'intérieur des fortifications.

La victoire de Jean de Luxembourg dans la bataille pour la couronne tchèque apporta à la ville la paix désirée, cependant aussitôt après il s'avéra que le roi chevaleresque demandait toujours de l'argent qu'il fallait verser en dons et prêts considérables. Déjà pendant le couronnement, la bourgeoisie pragoise honora les époux royaux avec des joyaux précieux ayant une valeur de 120 talents d'argent, mais ce ne fut qu'un début. Il est toutefois vrai que de l'autre côté, le généreux Luxembourg témoignait sa reconnaissance aux Pragois par de nouveaux privilèges, pour finir par accorder aux habitants de la Vieille-Ville, de l'Amiens lointain, son accord royal avec l'établissement de leur propre mairie. C'était l'aboutissement des efforts d'autonomie déployés jusqu'ici. Et lorsqu'en 1341, il consentit à la rédaction de leur propre code et leur accorda une souveraineté juridique vis-à-vis des autres villes, cela signifia une reconnaissance du statut exceptionnel dans le royaume. Les bourgeois achetèrent de suite à Volflin de la Pierre une maison angulaire sur le marché pour y établir leur propre mairie.

En 1346, le fils de Jean de Luxembourg Charles IV fut élu empereur romain et aussitôt après, la même année où son père mourut dans la bataille de Crécy, il fut nommé roi de Bohême. Prague devint d'un coup une véritable ville résidentielle et les constructions que Charles avait fait entreprendre ne firent que le confirmer. De vastes actes fondateurs sous Charles n'esquivèrent pas la Vieille-Ville. En premier lieu; en 1348, Charles y fonda une université pour que, comme le dit l'acte fondateur de l'université, «les citoyens du royaume de Bohême ne soient plus obligés de faire l'aumône dans les pays étrangers, mais pour qu'ils trouvent dans leur royaume de quoi les rassasier». Du vivant de son fondateur, l'université, première de son genre au nord des Alpes, commençait à attirer des adeptes des sciences des pays de la Couronne tchèque, mais aussi des pays voisins, même des régions plus éloignées du monde chrétien et elle devint un centre de la ferveur spirituelle.

L'Université Charles de Prague devint au début du 15e siècle, le centre de l'opposition érudite, réagissant aux phénomènes de crise dans la société et en activant et unifiant à la fois les contestataires de différentes couches de la population pragoise et du royaume tout entier. Les attitudes des maîtres (professeurs) tchèques

La place de la Vielle-Ville illuminée est le lieu de rendez-vous des visiteurs, jusque dans des heures tardives, et ceux-ci profitent des tours en voiture à cheval qui leur sont offerts

se fondaient à maints égards sur les opinions du réformateur anglais Jean Viklef dont une grande partie des ouvrages fut apportée en Bohême par Jeroným Pražský (Jérôme de Prague).

Le Carolinum demeure le siège officiel de l'Université Charles. Son noyau, le plus ancien bâtiment du collège Charles datant de la seconde moitié du 14e siècle, est une maison gothique du maître monnayeur Johlin Rothlev. Le grand hall avec une chapelle à encorbellement et les arcades gothiques au rez-de-chaussée rappellent la période de ses origines. Dans la cour du Carolinum se trouve la statue de Jean Hus dont l'auteur est le sculpteur Karel Lidický.

En 1357, Charles IV commença l'édification d'un nouveau pont de pierre traversant la Vltava. Il devait remplacer le pont Judith, ravagé par les inondations, et relier les villes pragoises sur la rive droite de la Vltava à la Petite Ville de Prague — Malá Strana, nom que l'on donna à cette ville à partir de 1348, date à laquelle Charles fonda derrière les fortifications de la grande ville de Prague la Nouvelle-Ville. La construction du pont avec sa monumentale tour, ne fit que confirmer la supériorité de Pierre Parler et de son atelier du bâtiment. Charles IV confia à la Vieille-Ville la défense du pont, ainsi que sa gestion et celle d'un site assez vaste incluant l'île de Kampa, ou bien tout simplement «L'île», comme on l'appelait à l'époque.

Après la fondation de la Nouvelle-Ville dans la Vieille-Ville, le patriarcat et les riches familles bourgeoises renforcèrent leur puissance. C'était un bastion du commerce et pour cette raison Charles, afin de souligner l'importante supériorité de la Vieille-Ville, augmenta son nombre d'échevins de douze à dix-huit. Dans la Vieille-Ville, on bâtissait avec frénésie. Une tour de l'Hôtel de ville avec une chapelle à encorbellement s'éleva. La richesse des bourgeois se manifestait dans la construction de nouvelles maisons spacieuses qui comportaient toutes une grande salle. On construisit également une maison du roi dans la Vieille-Ville. Presque toutes les églises de la Vieille-Ville subirent une reconstruction, la gothisation se manifestant le plus dans le vaste projet de l'église de Týn, mais aussi dans une restauration de l'église et du cloître Saint-Jacques; des églises Saint-Gall, Saint-Gilles et d'autres. Les idées de Charles quant au siège résidentiel commençaient à se réaliser. Le nombre d'habitants de la ville augmentait et le complexe de cités pragoises dominé par la Vieille-Ville profitait de la prospérité économique du règne de Charles.

Toutefois, le peuplement de la ville signifiait aussi un danger de subsistance insuffisante pour une grande partie des citadins — salariés qui y sont venus chercher du travail au début de la période de la grande prospérité, ainsi que litiges entre le patriarcat et les artisans qui voulaient profiter de leur essor économique — pour avoir une influence plus importante sur la gestion de la ville, s'approfondissaient. Les contradictions intérieures allaient croître sous le règne de Venceslas IV, fils de Charles, notamment après l'an 1400 où Prague cessa d'être la ville résidentielle du souverain romain et l'épanouissement de l'époque du grand empereur disparut pour toujours. Maints bâtiments entrepris sous le règne de Charles étaient inachevés, les artisans et les commerçants connaissaient une mévente, les possibilités d'emploi pour les couches moins aisées de la population diminuaient. Le recul de Prague du point de vue politique montra que son économie dépendait de la consommation locale et sa régression frappa toutes les couches de la population. Les conditions désolées renforçaient les contradictions intérieures au sein de sa population.

Malgré cela, les positions économiques de la Vieille-Ville étaient solides et pour cette raison, elle ne subit pas cette stagnation économique aussi péniblement que la Nouvelle-Ville, à laquelle appartenaient les artisans et les couches les plus pauvres de la société. Il n'était donc pas fortuit que la révolution hussite fit entendre son éclatement révolutionnaire justement dans la Nouvelle-Ville, car là on était plus disposé aux actes qu'aux paroles. Au cours de la révolution, la Nouvelle-Ville était toujours plus radicale dans ses revendications que la Vieille-Ville de Prague.

Après 1434 la Vieille-Ville se rangea parmi les vainqueurs de Lipany, tandis que la Nouvelle-Ville se rangea parmi les vaincus, l'administration de la Vieille-Ville contribua d'une manière non-négligeable à la nomination de Sigismond de Luxembourg au trône de Bohême, ce qu'il paya en renouvelant les privilèges anciens et en accordant de nouveaux. Dans la période d'interrègne survenu après la mort du gendre de Sigismond et prince héritier du trône de Bohême, Albrecht d'Autriche, le rôle de la Vieille-Ville en tant que centre du royaume monta énormément. L'ascension politique ainsi que le pouvoir des habitants de la Vieille-Ville fut également confirmée en 1458 par

La pittoresque petite église Saint-Sauveur, qui date de la deuxième moitié du 13e siècle, est incorporée au couvent Sainte-Agnès

l'élection du roi de Bohême — Georges de Poděbrady parmi les nobles tchèques utraquistes, laquelle eut lieu dans l'Hôtel de ville de la Vieille-Ville.

La Vieille-Ville surveillait sa position privilégiée en tête des villes dans le royaume même sous le règne des Jagellon; même si elle devait au sein de l'État, mener des combats acharnés pour la sauvegarder. La période des Jagellon signifia un nouvel essor important dans le bâtiment. Au rôle politique important de la bourgeoisie dans l'État post-hussite et à sa richesse correspondait également un haut niveau culturel du milieu bourgeois. Le gothique tardif dans les oeuvres des maîtres Benedikt Ried de Pístov ou Mathias Rejsek laissa dans la ville ses empreintes, parmi lesquelles se distinguent notamment un remaniement gothique tardif, la restauration et l'élargissement de l'Hôtel de ville de la Vieille-Ville, une nouvelle installation de l'horloge par le maître Hanuš vers 1490, ou bien par l'édification d'une nouvelle tour flanquant la cour royale dans la Vieille-Ville, l'actuelle Tour Poudrière (Prašná brána), commencée en 1475 sous la direction du bâtisseur pragois Venceslas et achevée par le maître Mathias Rejsek. On reprit les activités architecturales dans le couvent des Chevaliers de la croix à l'étoile rouge à proximité du pont Charles. Aussi la chapelle de Bethléem, monument à la mémoire de Jean Hus subit un remaniement gothique tardif. Il va de soi que les travaux de construction se déroulaient également dans des maisons bourgeoises, les remaniements architecturaux se concentrant notamment sur la partie centrale de la Vieille-Ville, surtout dans les sièges de ses patriciens.

Après l'avènement des Habsbourg au trône de Bohême, le nouveau monarque Ferdinand Ier commença à restreindre systématiquement le statut politique des villes. En 1534, il conclut aussi une alliance provisoire de la Vieille-Ville et de la Nouvelle-Ville sous une seule administration municipale. La politique pratiquée par Ferdinand vis-à-vis de la ville provoqua un mécontentement et les Pragois s'opposèrent de plus en plus à leur monarque. Les contradictions atteignirent leur apogée en 1547 avec les révoltes de la Vieille-Ville et d'autres villes royales. La majorité des nobles tchèques se manifesta, entre autres, par le refus de Prague, en coalition avec les nobles d'appuyer militairement Ferdinand qui était l'allié de son frère Charles Quint dans la guerre contre la li-

gue de Schmalkalden. Toutefois, la révolte se termina par un désastre, sans précédent dans l'histoire. Le chancelier de la Vieille-Ville, Sixte d'Ottersdorf, qui devint ultérieurement chroniqueur de ces événements faillit être exécuté, une série de bourgeois furent emprisonnés, et certains furent expatriés, d'autres virent leur biens confisqués. Les administrations municipales dans les villes royales furent subordonnées à l'office des baillis et, dans la Vieille-Ville et la Nouvelle-Ville même aux prévôts. Le statut de Prague, édifié pendant de longues années, s'écroula en une seule nuit à cause de l'échec de la révolte. La gloire politique de la ville et son rôle important dans la communauté des États touchèrent à leur fin. Dans la seconde moitié du 16e et au début du 17e siècle, la ville conserva son caractère gothique. Cependant l'architecture Renaissance pénétrait, au fur et à mesure, dans la Vieille-Ville. La bourgeoisie aisée avait assez de moyens pour égaler la noblesse, quant au caractère architectural de ses maisons et au mode d'habitation.

Les exemples, en sont, en premier lieu la magnifique maison ornée de sgraffites «A la minute» (U Minuty) avoisinant les bâtiments de l'Hôtel de ville, la maison «Aux deux ours d'or» (U Dvou zlatých medvědů) qui a un portail splendide, celle «A la couronne de France»(U Francouzské koruny) dans la rue Karlova où vécut Johannes Kepler, astronome impérial, ou bien l'Ecole de Týn (Týnská škola) sur la place de la Vieille-Ville, ou bien encore la maison Granov (dům Granovských) derrière l'église de Týn. Ce furent les jésuites qui introduisirent le style Renaissance dans les constructions de l'Eglise, en édifiant l'église Saint-Sauveur et la chapelle des Italiens. Cela se reflétait également dans les intérieurs d'autres édifices sacrés, comme par exemple l'église «Notre-Dame-de-Týn».

En 1611, les habitants de la Vieille-Ville se distinguèrent lors de l'invasion des Passau, en défendant leur ville contre l'armée du colonel Ramée, à l'aide de laquelle l'empereur Rodolphe II cherchait à changer sa position défavorable envers les États tchèques et son frère Mathias. Même au cours des années suivantes, la ville fut le théâtre de nombreux événements dramatiques. En 1618, les habitants de la Vieille-Ville se joignirent à la révolte contre les Habsbourg. Même si Prague était le centre de tous les événements, les Pragois eux-même restèrent en marge. En dépit de leur attachement à la révolte, ils ne réussirent pas à imposer auprès des chefs nobles des États toutes leurs

Le théâtre des États de la fin du 18ᵉ siècle est un magnifique bâtiment
classique. C'est là qu'en 1787 eut lieu la première
de l'opéra de W. A. Mozart «Don Giovanni»

81

revendications. Le court règne de Frédéric Palatin se termina par la défaite de la Montagne Blanche et il était tout à fait naturel que les bourgeois payassent leur participation à la révolte plus cher que la noblesse, bien qu'ils n'aient que peu influencé le cours des événements. Quinze citadins pragois finirent par être exécutés le 21 juin 1621, plusieurs durent quitter le pays; à d'autres on confisqua les biens ou on leur infligea des amendes.

Lorsqu'en 1628, les non-catholiques quittèrent Prague à la suite d'un arrêté, il ne resta que les catholiques et les convertis; échangeant leur conviction religieuse contre la perspective d'une existence aisée. En conséquence, les émigrants revenus au pays lors de l'invasion saxone, ne furent pas chaleureusement accueillis dans la ville. Le changement des conditions dans la ville et le dévouement pour les Habsbourg, se concrétisa lors du siège de la ville par les Suédois où les habitants de la Vieille-Ville et de la Nouvelle-Ville avec une petite garnison de l'armée impériale, et pratiquement sans canons, défendirent les fortifications peu fiables. La résistance résolue des citoyens pragois contre les Suédois fut appréciée même par la cour de Vienne, ce qui ne changea cependant pas le statut politique insignifiant des villes pragoises.

Les activités du bâtiment dans la ville ressuscitèrent dès la fin de la guerre de Trente ans. Egalement dans la Vieille-Ville, dès 1650, des palais de nobles, des églises et couvents commençaient à s'élever dans un nouveau style baroque. Il faut mentionner la restauration de l'église Saint-Jacques dans la Vieille-Ville, de l'église Saint-Gall, de Saint-Simon-et-Jude, liée à la fondation du monastère et de l'hôpital, puis l'édification d'un vaste collège jésuite dans la Vieille-Ville et d'autres bâtiments sacraux que la Vieille-Ville imposait, à partir de cette époque jusqu'au 18e siècle, en style baroque. Les représentants éminents du baroque pragois, l'architecte Kilian Ignace Dientzenhofer, François Maximilien Kaňka ou Jean Baptiste Mathey, Carlo Lurago, Jean B. Santini-Aichl et Jean Bernard Fischer d'Erlach, Giovanni Battista Alliprandi, Jean George Hrdlička ainsi que d'autres s'inscrivirent à jamais dans l'histoire de la ville. Les peintures et sculptures baroques présentées par Mathias Bernard Braun, Ferdinand Maximilien Brokof, Jean George Bendl, Mathias Venceslas Jäckel, Venceslas Laurent Reiner, Ignace Ferdinand Platzer complétèrent les intérieurs et extérieurs des édifices baroques. A l'édification du pa-

lais Clam-Gallas dans l'actuelle rue Husova, ou bien à côté de la somptueuse église baroque Saint-Nicolas sur la place de la Vieille-Ville ou du collège jésuite participèrent des bâtisseurs célèbres. Cependant le nouveau style appliqué uniquement sur les frontons reste sans changements. La prédilection de l'époque pour les décors plastiques se manifeste dans l'enrichissement de divers portails et symboles de maisons, par exemple dans les rues Karlova, Celetná ou Rytířská. Dans les années 1683—1714, on installa trente statues d'éminents maîtres sculpteurs sur le pont en pierre (le pont Charles), notamment celles de Mathias Bernard Braun et Ferdinand Maximilien Brokof.

Après la première moitié du 18e siècle, le style rococo influença également l'architecture dans la Vieille-Ville. Il y laissa de magnifiques fronts sur certains palais de nobles — comme par exemple celui du palais Goltz-Kinský en style baroque tardif sur la place de la Vieille-Ville ou de nombreuses maisons bourgeoises. Néanmoins, il commençait à céder bientôt au classicisme, style aux formes et décors stricts dont le représentant typique dans la Vieille-Ville est par exemple le théâtre des États (Stavovské divadlo), construit aux frais du comte François Antoine Nostic.

Dans la seconde moitié du 19e siècle, apparaissent de plus en plus les styles historisants imitant notamment le gothique et la Renaissance, plus tard aussi le baroque. L'anneau entre la Vieille-Ville et la Nouvelle-Ville formé par les actuelles avenues Nationale (Národní třída), Na Příkopě et Revoluční fut couvert de bâtiments tout à fait neufs, une partie de la ville dans le tournant de la Vltava changea à la suite d'un assainissement. Les styles architecturaux de la seconde moitié du 19e siècle, de même que l'Art nouveau influencèrent la construction de certains pâtés de maisons dans la Vieille-Ville, comme par exemple l'avenue de Paris. Une série de bâtiments intéressants est en style Art nouveau, dont la Maison Municipale (Obecní dům) datant du début du 20e siècle et avoisinant la Tour Poudrière.

La Vieille-Ville de Prague est un rappel permanent de la riche histoire de Prague et de la Bohême toute entière jusqu'à nos jours. Son aspect actuel est le résultat d'une évolution urbanistique complexe, de ses origines romanes jusqu'à un passé récent. Aussi la place de la Vieille-Ville était-elle, au cours de toutes les étapes de l'histoire tchèque au centre des événements.

Quand on vient a Prague, on ne peut pas oublier la vue qu'on a à la tombée
de la nuit, depuis le Rudolfinum place Jan Palach, sur
le Château de Prague

83

La synagogue Vieille-Nouvelle, érigée autour de 1270, est la plus vieille synagogue préservée dans toute l'Europe centrale. Josef Schlesinger a mené à bien la reconstruction de la mairie juive de style Renaissance, construite en 1760

LA VILLE JUIVE

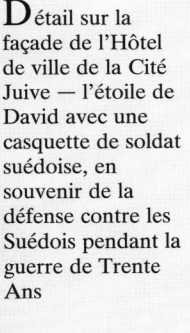

Détail sur la façade de l'Hôtel de ville de la Cité Juive — l'étoile de David avec une casquette de soldat suédoise, en souvenir de la défense contre les Suédois pendant la guerre de Trente Ans

Parmi la population installée à Prague, les Juifs ont occupé de tous temps une place primordiale dans le commerce. On ne mentionne nulle part leur arrivée en Bohême ou dans d'autres pays voisins, car elle s'est effectuée sans aucun doute dans des temps très anciens. Ils se seraient trouvés dans le pays déjà au temps des Marcomans, parmi d'autres commerçants venant de l'empire romain. Par ailleurs, déjà aux temps païens, ils auraient vécu parmi les Tchèques où ils y auraient joui d'un respect considérable.

EXTRAIT DU LIVRE D'HISTOIRE DE LA VILLE DE PRAGUE PAR VENCESLAS VLADIVOJ TOMEK

Dans la rue «U Starého hřbitova», l'immeuble intitulé «Salle de cérémonie», qui
rappelle une forteresse romane, est aujourd'hui un centre
d'expositions du musée juif

L'élément juif au milieu de la population de la Prague médiévale était marquant dès le début du peuplement de la ville. Dans la tradition juive, Prague occupait, à côté de Jérusalem une place tout à fait extraordinaire. Une légende dit que les Juifs y vinrent immédiatement après la démolition du temple de Jérusalem. Néanmoins, les sources authentiques mentionnent que des Juifs s'étaient installés au pied du Château de Prague déjà à partir du 10ᵉ siècle: commerçants et immigrants juifs arrivaient à Prague, au Château, près de la rivière et dans toute une série de petites localités marchandes et commerçantes, de part et d'autre de la Vltava. Les Juifs d'origine byzantine s'étaient établis dans les environs de l'actuelle rue Dušní. Un peu plus tard vinrent sur le territoire de la Vieille-Ville de Prague les Juifs de l'Occident et ils y fondèrent leur propre ville appelée plus tard le ghetto, représentant déjà aux 11ᵉ et 12ᵉ siècles une colonie homogène sur l'emplacement de la future Ville Juive, allant de l'actuelle rue Kaprova à l'avenue de Paris (Pařížská ulice), en direction de la rive de la Vltava. Dans les années 1260, la Vieille-Ville fut constituée, et on régla également le statut de la communauté juive qui était séparée de la partie chrétienne de la ville par une muraille fortifiée aux portes cochères fermées durant la nuit.

Il est vrai que les Juifs avaient leur autonomie intérieure, mais comme partout en Europe, leur statut juridique fut modifié par maintes dispositions, règlements et privilèges, qui variaient selon les seigneurs. Ils étaient considérés comme sujets directs, c'est-à-dire propriété du roi qui pouvait en disposer librement, éventuellement les offrir aux créanciers comme allocations de dédommagement d'un pogrome avenant. Il est vrai que les pogromes de Prague frappaient le ghetto de la ville moins souvent que dans d'autres pays, mais avec une pareille cruauté. C'était sous prétexte de circonstances les plus diverses: passage d'une armée de croisés, famine, épidémies ou campagnes d'excitation provoquées par des prédicateurs fanatiques.

Dans la seconde moitié du 16ᵉ siècle, la communauté juive atteignit un calme relatif, et ce malgré la perte du monopole des finances et les diverses restrictions. Les monarques Habsbourg avaient toujours besoin d'argent pour mener les guerres contre les Turcs, pour la représentation, les constructions et leurs ambitions politiques dans le cadre du Saint-Empire Romain. Aussi ouvraient- ils des crédits toujours plus importants chez des banquiers et usuriers juifs.

Le plus important des banquiers juifs fut le richissime Mordechaj Maisel qui prêtait souvent des sommes considérables à l'empereur Rodolphe II. Maisel savait profiter de la situation pour faciliter, au moins partiellement, la vie de ses coreligionnaires et il obtint du monarque la confirmation des anciens privilèges et l'octroi de nouveaux privilèges promouvant l'assurance juridique des Juifs pragois. Mordechaj Maisel fut premier échevin de la commune juive et ses vastes activités de construction marquèrent le ghetto jusqu'à nos jours. Il construisit le bâtiment de la mairie juive (son aspect actuel provient du remaniement gothique tardif), et dans sa proximité immédiate, la synagogue Haute (Vysoká synagóga). Il établit également la synagogue Maisel, à l'origine privée, dont l'aspect actuel est le résultat des restaurations qui suivirent un incendie et un assainissement. Ses visiteurs peuvent y admirer une exposition permanente d'argenterie synagogale.

Cet homme célèbre fonda avec son ami, l'érudit rabbin Jehuda ben Bezallel, une école de talmudistes et s'occupa de promouvoir la science de la Renaissance. Löw devint un personnage légendaire de la Prague rodolphine, pour avoir fabriqué une figure en argile — une sorte de créature moderne appelée Golem — se distinguant par une force fantastique. Elle pouvait être animée par une inscription à formule magique que l'on plaçait au milieu du front du géant.

Un autre personnage de Prague sous la Renaissance, cette fois-ci à renommée déplorable, le banquier Jacques Bassevi, se distingua par sa richesse immense qui provenait sans doute de transactions financières liées à l'armement et de spéculations avec de l'argent dit «long» et des biens qu'il se partagea avec Albrecht de Wallenstein et certains autres nobles et banquiers, après la défaite de la révolte des États tchèques.

La synagogue Pinkas fut restaurée au début du 17ᵉ siècle dans un style
Renaissance tardif. Dans la cour ont été conservés
un bain rituel et un puits

Les tombeaux des personnes précitées se trouvent au vieux cimetière juif parmi les 12 000 tombes et monuments funéraires des années 1439 à 1787. Entre autres, on y apporta des plaques gothiques du 14e siècle, trouvées sur l'emplacement du cimetière juif originel dans la Nouvelle-Ville. Le plus ancien tombeau, celui d'Avigdor Kara, date de 1439. Le cimetière, conservé presque dans sa superficie complète, est une des plus complexes nécropoles et une source précieuse permettant de connaître l'histoire de la communauté juive de Prague.

Par deux fois, en 1541 et en 1744, la population juive dans sa totalité, fut expulsée du pays. Ces décisions irréfléchies se reflétaient toujours sur l'état du commerce et des finances et elles ont été levées sous la pression des Juifs, aussi bien que sous celle des bourgeois de Prague voire de la noblesse. Les Juifs se réintégraient toujours dans l'économie de Prague et du pays, mais leur statut ne se simplifiait pas. Seules les réformes de Joseph II, créant des conditions favorables à la prospérité économique, eurent une influence décisive sur la vie et l'administration du ghetto et assouplirent l'isolement dans lequel les Juifs étaient contraints de vivre. Néanmoins la population de dix milliers de personnes vivait à l'étroit dans quelques pâtés de maisons, même si à partir de 1796, on permit au Juifs d'habiter dans certaines maisons de la Vieille-Ville.

Les réformes de libéralisation ont successivement éliminé au 19e siècle l'isolement. Au sein de la commune juive commençait à se manifester une différenciation nette et de nombreux Juifs s'assimilaient, par des mariages et une coexistence simple, avec leur entourage. Ils connaissaient, en général les deux langues pratiquées dans le pays — le tchèque et l'allemand et dans ce sens, inclinaient vers le milieu des bourgeois tchèques ou celui des allemands. Toute une série de batisseurs habiles furent même anoblis après une conversion religieuse.

Vers la fin du 19e siècle, le territoire de la Ville Juive atteignit un véritable collapsus sur le plan social, sanitaire et hygiénique. Pour cette raison, au début du 20e siècle, la ville procéda à un vaste assainissement des constructions médiévales, Renaissance et baroques dans le quartier juif et les parties attenantes de la Vieille-Ville. C'est ainsi qu'on effaça complètement la couleur locale des vieilles ruelles du ghetto pragois et avec les logis miséreux, maints bâtiments qui auraient dû être conservés pour les générations futures succombèrent à l'assainissement. Sur les terrains assainis, naquit un nouveau quartier d'immeubles éclectiques et Art nouveau qui sont devenus, au cours du siècle, des monuments importants. Du ghetto ancien ne se conserva qu'une poignée de bâtiments — pour la plupart des synagogues, une vieille mairie et le réseau de rues a été en partie respecté.

L'assainissement accéléra encore plus le processus d'intégration des Juifs pragois dans la vie culturelle, scientifique et publique. Leur apport se manifestait nettement dans le milieu tchèque et aussi auprès de la minorité allemande de Prague jusqu'à la seconde guerre mondiale et il est symbolisé par les noms d'Egon Ervin Kisch, Franz Kafka, Oskar Baum, Max Brod, Viktor Ullmann, Frank Pelleg, Rudolf Fuchs, Jiří Orten et beaucoup d'autres.

Le nazisme interrompit cette symbiose millénaire. L'émigration massive, et plus tard l'holocauste décima les Juifs restants qui n'avaient pas la possibilité ou les moyens de quitter le pays, ou qui hésitaient à s'en aller. Après la guerre, seul un petit nombre de réfugiés est revenu. Au cours des années suivantes bon nombre de Juifs qui avaient survécu à l'enfer nazi revinrent à Prague.

Un nombre considérable de citoyens juifs sont devenus objets et victimes des accusations fictives et des procès dans les années 1950. Certains ont survécu et leur part prise à la vie culturelle de la ville, au développement scientifique et technique renoue avec la tradition historique et dépasse considérablement le nombre restreint de la communauté juive actuelle.

Le monument le plus précieux de l'ancien ghetto médiéval est la Synagogue Vieille-Nouvelle (Staronová synagóga), un des plus anciens édifices gothiques à Prague, bâti aux environs de 1270 en style gothique primitif. Elle a deux nefs, avec des voûtes à nervures reposant sur deux piliers

Le vieux cimetière juif (Starý židovský hřbitov)
est un des endroits les plus
visités de Prague

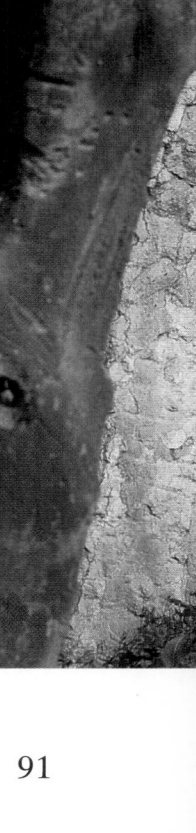

L'Ancien cimetière juif compte environ 12 000 tombes.
De maints personnalités de la société
juive y sont enterrées

centraux. De l'extérieur, elle a des pignons en brique datant du 14e siècle et en bas elle est entourée d'annexes. Celle du nord, pour les femmes, date du 18e siècle. On entre dans l'espace à deux nefs, par un portail d'origine aux ornements de fleurs en style gothique primitif. A l'intérieur de la synagogue est placée une bannière datant de la moitié du

La synagogue Klaus qui donne sur la rue près du Vieux cimetière (U Starého hřbitova), et ses vitraux représentant l'étoile de David

17e siècle, cadeau de Ferdinand III aux Juifs pour leur assistance lors de la défense de Prague contre les Suédois. Dans la partie orientale se trouve un sanctuaire aux colonnes Renaissance au-dessous duquel se dresse le fronton d'origine en style gothique primitif, avec un tympan décoré de feuilles.

A l'extrémité sud du cimetière, dans la rue Široká est située la Synagogue Pinkas (Pinkasova synagóga) fondée par le rabbin Pinkas en 1479. Elle contient une salle en style gothique tardif, aux voûtes à nervures sur des piliers Renaissance.

L'aile sud et le jubé des femmes aux fenêtres Renaissance tardive furent ajoutés au début du 17e siècle. La synagogue Pinkas sert, en même temps, de mémorial aux victimes des persécutions raciales.

La mairie juive, actuellement siège de la Fédération des communautés religieuses juives de Bohême et de Moravie est une reconstruction de la mairie Maisel édifiée à la fin du 16e siècle par le bâtisseur Pancrace Roder. La reconstruction en style baroque tardif fut réalisée en 1763 par l'architecte Joseph Schlesinger. Sur le toit de la mairie est disposée une tourelle en bois avec une horloge.

Juste derrière, dans la direction de l'avenue de Paris se trouve la Haute synagogue (ou synagogue de l'hôtel de ville — Vysoká ou Radniční synagóga), construite après 1577 aux frais de Mordechaj Maisel et étendue en 1691.

Dans la rue près du Vieux cimetière (U Starého hřbitova) se trouve la synagogue Klaus (Klausová synagóga) de la fin du 17e siècle, remaniée en style moderne vers la fin du siècle passé. La confrérie cérémonielle se réunissait dans le bâtiment voisin, construit en 1906. De même, le musée juif d'État est une partie importante du ghetto de jadis. Par une ironie cruelle du sort, il vit le jour, dans son aspect actuel, à l'initiative des nazis, à partir des biens confisqués des synagogues et des communes juives en Bohême et Moravie.

Les collections du musée représentent une trésorerie d'une importance mondiale. Ces monuments et une nouvelle animation dans la Ville Juive de Prague créent une atmosphère particulière de petite ville au sein de la ville. Les visiteurs du monde entier y affluent pour admirer les monuments architecturaux du ghetto de Prague et pour rendre hommage aux Juifs persécutés dans le passé.

Prise de vue classique du Prague juif — la rue Maiselova avec la synagogue Vieille-Nouvelle et l'Hôtel de ville juif. Un tour en voiture à cheval dans les rues étroites constitue une attraction non négligeable

Le plus beau monument de Malá Strana — l'église baroque Saint-Nicolas
— constitue un sujet d'inspiration propice pour
les artistes et les photographes

LE PETIT CÔTÉ

La pittoresque statue en cire de l'«Enfant Jésus de Prague», est originellement une oeuvre espagnole. On peut voir cet enfant Jésus dans l'église Notre-Dame--de-la-Victoire à Malá Strana, rue Karmelitská

Après la mort du roi Venceslas, monta sur le trône du royaume tchèque son fils Přemysl, puissant et courageux, qui déjà depuis sa jeunesse se comportait vaillamment, diffusait partout la noblesse de la pensée royale, et brillait par la magnificence de ses actes de bravoure. Mené par le souci d'assurer la paix aux habitants du royaume, il commença à entourer les villes d'enceintes et à fortifier les châteaux forts. Il entoura également la Petite Ville de Prague de murailles et de fossés.

DE LA CHRONIQUE DE FRANÇOIS DE PRAGUE

Malá Strana figure parmi les quartiers les plus impressionnants de Prague. Aucun visiteur ne pourra oublier la vue du haut des moulins de la Vieille-Ville, des tours du pont de Malá Strana et de la coupole majestueuse de l'église Saint-Nicolas, du haut de la tour élancée de l'église Saint-Thomas ou des palais et jardins grimpant vers les bâtiments du Château, sur les pentes du monastère de Strahov et au-dessous de Petřín.

Malá Strana est un ensemble urbain où non seulement un spécialiste, mais aussi un visiteur au moins un peu réceptif saisiront une symbiose rare des différents styles. Son aspect lie la monumentalité à l'intimité, la massivité des complexes architectoniques des palais et des églises à une atmosphère paisible de ruelles et de recoins. Le quartier se distingue également par la richesse de ses sites naturels. En effet, la rivière de la Vltava avec son bras, la Čertovka, y entourent l'île de Kampa, de vastes espaces verts et sauvages s'étendent sur les pentes de Petřín et l'on peut admirer les jardins entretenus des palais. Malá Strana porte en elle l'évolution spirituelle datant des débuts romans, à travers le baroque jusqu'au classicisme, de même qu'une tension dynamique entre les courants bourgeois et aristocratiques, entre la pompe et la simplicité, le faste et le caractère fonctionnel. C'est une réminiscence de maints ouvrages qui disparurent à jamais sur la rive droite de la Vltava à la suite des assainissements, tout en étant aussi frappé par des influences perturbatrices.

La naissance et le destin de Malá Strana sont intimement liés au Château de Prague. Les fouilles archéologiques récentes montrent que le commencement de l'actuelle Prague doit être recherché sur la rive gauche de la Vltava, sous le Château de Prague, alors qu'une localité antique située à peu près entre la place de Malá Strana et le Château fut, selon toute probabilité le premier faubourg et le premier marché sous le Château de Prague. Il fut favorisé par sa position, proche de la rivière, hors de portée des inondations mais aussi sur le trajet principal d'une longue voie qui traversait le gué de la Vltava, au cours peu profond, et montait suivant à peu près l'actuelle rue Nerudova par le Chemin creux (Úvoz) et se dirigeait vers l'ouest.

D'autres communes et localités existèrent également sur le territoire de Malá Strana, qui disparurent en partie ou furent encloses dans l'organisation de la future ville. Malá Strana n'avait pas représenté non plus, à la fin de la période romane, un ensemble architectonique uni, car il naquit en suivant le cours naturel des communications et le relief du terrain. Un essor brusque de la colonisation se produisit notamment au 12e siècle.

La période du règne du roi Vladislas Ier fut importante pour l'évolution ultérieure de Prague. A cette époque-là le rôle du marché sur la rive droite était très important et comme le pont en bois traversant la Vltava s'était écroulé lors d'une inondation, le monarque fit construire par un bâtisseur italien inconnu, provenant peut-être de Milan un nouveau pont de pierre en l'honneur de son épouse Judith. De 1158 à 1172, la construction du pont en grès jaune, adapté à la traversée des chariots lourds permit une intercommunication plus étroite des colonies sur les deux rives de la Vltava. Ce pont était, avec celui construit sur le Danube à Ratisbonne, le seul pont de pierre en Europe centrale et un chroniqueur l'appela à juste titre «ouvrage impérial». Il servit jusqu'à 1342 où l'inondation le démolit et il fut remplacé sous Charles IV par un pont neuf.

A gauche du débouchement du pont de Malá Strana, protégé probablement par deux tours romanes surveillant la porte d'entrée, le deuxième roi de Bohême, Vladislas, attribua un vaste terrain aux chevaliers de l'Ordre Saint-Jean de Jérusalem pour y construire l'église Notre-Dame sous-la-Chaîne et achever le pont. Vers 1270, l'église fut élargie d'un nouveau choeur gothique.

Le complexe posséda sa propre juridiction et fut entouré d'une enceinte formant ainsi un ensemble indépendant. Dans la seconde moitié du 14e siècle, sous Charles IV, on procéda à une restauration importante de l'église et aux remaniements d'autres bâtiments sur le territoire de l'ordre. Le vestibule de Pierre Parler, de même que deux tours gothiques massives rappellent le statut important dont jouissait jadis l'ordre en Bohême et son siège à Prague.

Sur le côté nord de la tête de pont de Malá Strana, s'éleva un autre vaste complexe — cour

Des escaliers romantiques bordés de vieilles maisons
et de palais relient Malá Strana
au Château de Prague

97

Le dôme de l'église Saint-Nicolas dans Malá Strana en second plan, se détache
de la partie baroque du palais Leslie-Thun, qui abrite actuellement
l'ambassade de Grande Bretagne

épiscopale, bâtiments somptueux et jardins spacieux, rappelant le dernier évêque de Prague, Jean IV de Dražice, qui avait passé de longues années de sa vie à la cour du pape à Avignon. Après son retour, il fit reconstruire son siège roman, mais au début de la révolution hussite le palais et les jardins attenants furent brûlés. De toute la construction, s'est conservée jusqu'à nos jours uniquement une tour prismatique de style gothique tardif arborant le blason des seigneurs de Dražice.

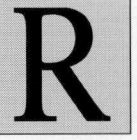evenons cependant à la première moitié du 13e siècle. Même si la colonie romane au-dessous du Château de Prague avait eu incontestablement un caractère urbain et avait été en partie fortifiée, il s'agissait d'une colonie dispersée, divergente, s'arrachant au contrôle du roi. Celui-ci s'était sans aucun doute intéressé à ce que le faubourg au-dessus du Château, traversé par une voie de communication importante reliant le Château au pont, fût sûr. Au déclin de son règne, Venceslas Ier fit renforcer la tête du pont Judith à Malá Strana en édifiant des murailles et bastions autour de la cour épiscopale avenante et du monastère des johannites. Quatre ans plus tard, en 1257 son fils Přemysl Otakar II fonda, selon un projet réfléchi, une ville devant remplacer, aussi pour des raisons stratégiques, le peuplement déséquilibré se trouvant entre le Château et le pont en pierre et il la fit entourer sur trois côtés de murailles et d'un fossé. Uniquement sur le côté attenant au Château, l'enceinte ne fut pas construite. La ville avait porté le nom de Nouvelle-Ville sous le Château de Prague et on y introduisit des colons allemands. Après la fondation par Charles IV de la Nouvelle-Ville de Prague sur la rive droite de la Vltava, la ville située sous le Château de Prague prit le nouveau nom de «Petite ville de Prague», plus tard «Malá Strana». Déjà en 1283, l'évêque Tobias consacra, au milieu de la place de Malá Strana, l'église paroissiale d'une nouvelle communauté pragoise — Saint-Nicolas, précurseur de l'église baroque actuelle. Le monastère augustin Saint-Thomas vit le jour à cette date également.

Charles IV étendit considérablement les territoires de Malá Strana en y ajoutant de vastes terrains longeant la Vltava, au sud des johannites, de même que les pentes spacieuses de la colline de Petřín. L'ensemble avait été entouré d'un mur appelé «mur de la famine» dans les années 1360—1362, commençant au sud-ouest par les fortifications de Hradčany et continuant jusqu'au bord occidental du couvent de Strahov, jusqu'à l'église Saint-Laurent à Petřín, et vers l'est jusqu'à la Vltava. Les murailles en marne calcaire sont d'une hauteur de six mètres et d'une épaisseur de presque deux mètres. Les nouvelles enceintes joignirent à Malá Strana le territoire des johannites et une grande partie du village d'Újezd, ainsi que les localités de Nebovidy et de Strahov.

Au début des guerres hussites, en novembre 1419, Malá Strana fut fort endommagé par les combats entre les Pragois dominant les tours du pont et la maison des ducs de Saxe, et la garnison royale du Château de Prague. Le palais archiépiscopal fut entièrement dévasté à l'entrée du pont, la mairie au milieu de la place fut démolie et les maisons sous le Château, aussi bien que les églises, furent détruites par le feu. Au printemps de l'an 1420, lorsque les Pragois affrontèrent l'assaut des croisés, on brûla et démoli toutes les constructions entre la tête de pont de Malá Strana en possession des hussites et le Château pour que l'armée royale ne pût s'en servir. Malá Strana commença à se remettre de ses malheurs seulement dans la seconde moitié du 15e siècle. En 1464, on posa la première pierre de la nouvelle construction de la tour nord du pont de Malá Strana. Les deux tours — l'inférieure d'origine romane et la nouvelle de style gothique tardif — surveillèrent jusqu'à nos jours l'entrée dans la rue Mostecká.

A l'orée de la Renaissance, Malá Strana s'épanouit et s'embellit. Le 2 juillet 1541, un incendie éclata dans la maison appelée «Au bastion». A cause du vent violent, il s'étendit très vite et s'empara des toits en bardeaux des maisons voisines, du couvent Saint-Thomas, des deux côtés de l'actuelle rue Nerudova. Le feu démolit les maisons sous le Château et atteignit même Hradčany. En trois heures, l'incendie dévasta les deux tiers de la superficie de Malá Strana et sur 211 maisons, 133 succombèrent aux flammes.

Après l'incendie, au lieu d'entreprendre des restaurations compliquées, on se mit à construire un

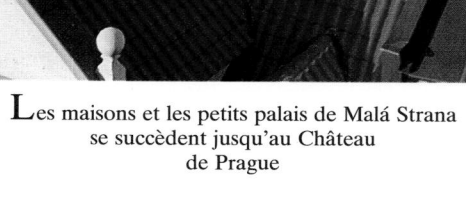

Les maisons et les petits palais de Malá Strana
se succèdent jusqu'au Château
de Prague

peu partout des édifices tout à fait neufs. Les plus grands dommages réparés, le style urbain de Malá Strana se transforma succesivement. On bâtissait aussi bien sur les emplacements originaux des maisons bourgeoises que sur les vastes terrains que l'aristocratie avait racheté aux bourgeois appauvris après les ravages de l'incendie. A la place des quelques maisons de jadis commencèrent à s'élever des palais bourgeois avec des cours et de spacieux jardins.

Les éléments de style Renaissance n'avaient pénétré que lentement l'architecture pragoise. Dès lors, la Renaissance se fit voir dans de nouvelles constructions d'ensembles architecturaux de la noblesse s'élevant aux endroits ravagés par l'incendie. Avec la persécution de l'État des bourgeois, après la répression de la révolte par Ferdinand Ier en 1547, ces activités d'entreprise affaiblirent l'influence qu'avaient les citadins de Malá Strana sur la gestion de leur ville. Car les bâtisseurs de haute naissance avaient aussi profité de leur droit d'inscrire leurs biens dans les Tables du pays, une vieille institution datant de la seconde moitié du 13e siècle — archives des arrêts du tribunal, contrats et transactions commerciales des membres de la communauté du pays, c'est-à-dire des nobles. Les biens inscrits dans les Tables n'étaient pas soumis à la juridiction des villes, ce qui affaiblissait encore plus le statut de l'autonomie bourgeoise.

Les activités intenses de construction provoquèrent aussi des changements démographiques. Les ouvriers de l'industrie du bâtiment de la Bohême toute entière arrivaient à Prague, et le nombre de bâtisseurs, maçons, stucateurs et autres artisans provenant de la péninsule italienne augmenta.

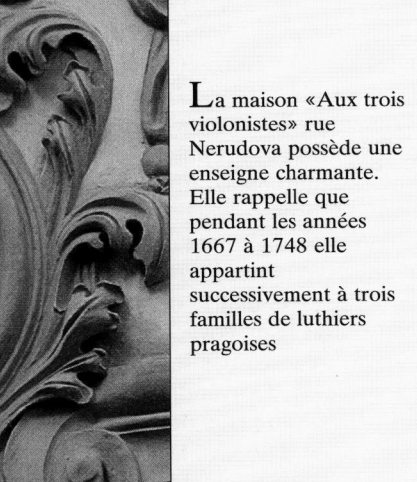

La maison «Aux trois violonistes» rue Nerudova possède une enseigne charmante. Elle rappelle que pendant les années 1667 à 1748 elle appartint successivement à trois familles de luthiers pragoises

101

A Malá Strana se forma ainsi une nombreuse colonie italienne, qui créa successivement sa propre congrégation avec un hôpital, une chapelle et un cimetière.

Un essor des activités de construction et une immigration de la population se produisirent à partir de 1575, lorsque Prague devint le siège de la cour impériale de Rodolphe II. A cette époque, on construisait intensément, par exemple à l'emplacement entre le pont et les rues telles que «Au séminaire lusacien» (U Lužického semináře) et la rue Míšeňská. Après les incendies de 1503 et 1541, l'église Saint-Thomas subit une longue restauration Renaissance. Toute une série de maisons Renaissance s'éleva dans la rue Tomášská et dans les actuelles rues Valdštejnská et Letenská, et les remaniements Renaissance ont touché pratiquement tous les bâtiments importants de Malá Strana.

e commerce et les métiers se ranimèrent, l'intérêt de la noblesse porté à la construction des palais bourgeois augmenta, comme le prouva également la construction du palais des seigneurs de Hradec sous le Château de Prague avec ses pignons Renaissance admirés encore de nos jours. Ainsi s'éleva sur la place de Malá Strana l'ample palais Smiřických, on construisit de nouvelles maisons Renaissance dans la rue Mostecká, on restaura la tour Judith au bout du pont d'où l'on enleva les créneaux pour les remplacer par des pignons et un toit, et la tour entière fut couverte d'enduit en sgraffite.

La période Renaissance tardive apporta tout de même un épanouissement de la ville qui se refléta également dans la restauration, dans les années 1617—1622, de la mairie de Malá Strana, à l'origine maison de Jean Tovačovský de Cimburk. L'oeuvre fut réalisée par Jean Campion de Bossi selon le projet de Giovanni Maria Filippi. La mairie est située sur la place de Malá Strana, en face de l'église Saint-Thomas. L'aspect actuel de la mairie n'est qu'un fragment de l'édifice original, car au début du 19e siècle, on enleva les tours et les pignons d'origine. La construction sacrale à la fin du 16e et au début du 17e siècles, dans d'autres villes de Prague et dans le pays tout entier, stagnait

un peu. En fait, les nouvelles constructions furent liées aux transformations religieuses de la population urbaine — ainsi les luthériens allemands domiciliés à Malá Strana construisirent en 1611—1613 leur propre église dans la rue Karmelitská, de même que leurs coreligionnaires de la Vieille-Ville l'église Saint-Sauveur.

Après 1624, pendant la recatholisation commencée dans le pays, l'église de Malá Strana fut attribuée aux carmélites. Son autel avait été à l'origine orienté à l'Est, mais dans les années 1630, lors du remaniement baroque, le choeur fut tourné, on érigea le clocher et la façade. L'église Sainte-Marie-de-la-Victoire est surtout connue par le monde à cause de la statuette votive en cire de l'Enfant Jésus de Prague, oeuvre espagnole du 16e siècle, don de Polyxène de Lobkowicz aux carmélites en 1628.

Al'instar des luthériens allemands, la congrégation italienne de Malá Strana éleva, à côté de l'hôpital dans l'actuelle rue Vlašská sa propre église catholique Saint-Charles Boromée. Son vis-à-vis dans la Vieille-Ville est une chapelle de l'Assomption de la Sainte Vierge dans l'actuelle rue Karlova, avoisinant le collège jésuite Clementinum.

La première moitié du 17e siècle apporta aux villes de Prague, dont surtout Hradčany et Malá Strana une série de malheurs. Tout d'abord, les villes furent occupées et pillées en février 1611 par les mercenaires des armées de l'archiduc Léopold, évêque de Passau appelé dans la ville par Rodolphe II pour tenter d'établir un renversement favorable à l'empereur face aux États tchèques en révolte et son propre frère Mathias qui aspirait au trône tchèque. D'autres pillages de Malá Strana, notamment des résidences de noblesse ont été causés par les troupes ligueuses et impériales qui étaient entrées, après la bataille de la Montagne Blanche à Prague, laissée à son sort par Frédéric, électeur palatin. Les confiscations et les émigrations des non-catholiques suivirent et Malá Strana se dépeupla considérablement. L'occupation temporaire de Prague par l'armée de Saxe sous le commandement de Jean Georges Arnim ne signifia qu'une nouvelle humiliation que Malá Strana, de même que les autres villes de Prague devaient subir, cette fois-là de la part des mer-

L'autel principal de l'église Saint-Joseph est de la fin du 17ᵉ siècle.
Le tableau de la Sainte famille, sur l'autel, est l'oeuvre
d'un peintre tchèque étonnant: Petr Brandl

103

cenaires de l'électeur luthérien de Saxe Jean Georges.

En 1648, les Suédois pénétrèrent dans Malá Strana. La Vieille-Ville et la Nouvelle-Ville leur résistèrent victorieusement grâce au courage de leurs défenseurs, mais le Château, Hradčany et Malá Strana furent considérablement pillés. Pour cette raison, peu après la fin de la guerre de Trente ans, on se mit à construire les nouvelles fortifications d'après les connaissances modernes de la science militaire. Leur édification s'est poursuivie jusqu'au 18e siècle où les fortifications baroques remplacèrent les enceintes d'origine médiévale, en barrant à l'ennemi, aux endroits les plus accessibles, l'accès de la ville.

Peu de gens arrivèrent à surmonter les ravages de trente années de guerre. L'un d'eux fut le géné-

ralissime impérial Albrecht Venceslas Eusebius de Wallenstein. Sa conversion opportune au catholicisme, de même que sa désertion rapide en faveur du camp des Habsbourg lui furent considérablement payantes. Il profita «à merveille» de sa position : il pilla sans égards les confiscations réalisées à la suite de la bataille de la Montagne Blanche, il prit part aux spéculations douteuses du consortium bancaire dont il assurait la direction, il se présenta en tant que souverain et commandant irremplaçable des armées impériales, car il possédait incontestablement l'art de commander l'armée, mais, en premier lieu, le pouvoir extraordinaire lui permettant d'équiper et d'armer une armée entière à ses propres frais. Le duc de Frýdlant réunit des biens immenses. Ses richesses, son pouvoir et son influence le promurent

La maison baroque «U Malířů», place Maltézské, abrite aujourd'hui
un restaurant dont les caves sont réputées
et la cuisine excellente

Le palais Fürstenberg (Fürstenberský palác) date des années 1743—1747, et est un des bijoux
architecturaux de la rue Wallenstein (Valdštejnská ulice) dans Malá Strana,
il est entouré de beaux et spacieux jardins

105

Malá Strana regorge d'endroits calmes et romantiques, telles que la rue
du séminaire Lusacien (U Lužického semináře) avec ses
façades aux tons pastel

Un des pôles d'attraction de Prague reste les moulins à eau. Le moulin du courant
du diable a gardé sa remarquable roue en bois et est appelé le moulin
du Grand Prieuré (Velkopřevorský mlýn)

107

Le palais Buquoy de style baroque est
le siège de l'ambassade
de France

à la première place dans le pays, devant l'empereur qui n'était souvent qu'un serviteur couronné de l'entreprise militaire de Wallenstein.

Dans les années 1624—1630, le duc fit construire à Malá Strana un vaste complexe de palais occupant le terrain d'un quartier urbain tout entier ou d'une petite ville. Il racheta, afin de bâtir, vingt trois maisons, trois jardins et une tuilerie. D'après le projet de Giovanni Pieroni, les architectes Andrea Spezza et Niccolo Sebregondi, auteurs d'autres édifices pragois du duc, assurèrent sa construction. Le grand complexe, équipé avec des soins particuliers comprenait des mobiliers précieux, des tapisseries, des tableaux, des statues et services de table.

Lorsque Albrecht de Wallenstein fut assassiné en 1634 à Cheb, la liste de confiscation des équipements du palais contint un grand nombre de pages et, elle représente une source précieuse décrivant le siège pompeux du magnat de la période Renaissance dont le luxe dépassait même celui des résidences de certains monarques de l'époque. Les peintures de Baccio Bianco qui ornent le plafond de la salle des Chevaliers représentant Wallenstein comme le dieu Mars, ou la monumentale sala terrena dominant le jardin sont une preuve de l'assurance du goût du duc.

La décoration statuaire du jardin fut réalisée avant 1630 par Adriaen de Vries, auparavant sculpteur à la cour de Rodolphe II. Actuellement, on trouve dans les jardins les copies d'une partie de ces statues. Les statues originales furent emportées par les Suédois comme butin de guerre et placées au château Drottnigholm.

Bien que le palais Wallenstein (Valdštejnský palác) n'ait pas causé un revirement artistique à Malá Strana, il intervint nettement dans les plans de la ville et il provoqua la transformation des constructions jusque là surtout bourgeoises en somptueux palais et jardins baroques.

Malgré les conséquences néfastes de la révolte des États, et des guerres, la restriction des droits des États, notamment des villes et la dégradation de Prague à un rang secondaire en faveur de Vienne, la construction des palais de la noblesse se poursuivit jusqu'au 18e siècle compris. Tout le monde construisait, les généraux de l'empire, les colonels et les commandants de grades inférieurs, de même que les membres des familles catholiques restées dans le pays et certaines converties. Après 1624, le palais Vchynský fut racheté par Paul Michna de Vacínov, mais c'était surtout son neveu Venceslas qui remania le palais Renaissance en magnifique palais baroque. La restauration du palais Michna sous la direction de François Caratti ne fut achevée que dans la première moitié du 18e siècle par Jean Adolphe, comte Schwarzenberg qui avait acheté le palais.

L'ensemble des jardins du palais qui s'étendent sous le Château de Prague est vraiment remarquable. Le palais Fürstenberg avait une position tellement avantageuse que lors de la fondation de son jardin, on pouvait combiner un vaste parterre plat avec une succession impressionnante de terrasses. Les terrains des autres possesseurs étaient considérablement plus étroits et ils grimpaient abruptement les pentes du Château. Par conséquent, ils furent sectionnés ingénieusement dans un système de terrasses, escaliers et gloriettes liant l'intimité des jardins d'habitation aux vues panoramiques de la ville.

Les palais baroques et rococo, tels Nostic, Buquoy, Kaiserstein, Morzin, le Grand Prieur de l'Ordre de Malte, Liechtenstein, et autres, aux riches ornements en relief, souvent luxuriants ont transformé complètement le caractère de Malá Strana. Dans sa partie sud, près de la Vltava et sur l'île de Kampa, derrière le bras de la Čertovka, mais aussi de l'autre côté sur les pentes de la colline de Petřín et au-dessous du Château, il était possible d'étendre les résidences et de les entourer d'un ensemble de jardins constituant jusqu'à nos jours un élément important d'espaces verts. Malá Strana devint un grand espace silencieux et nostalgique de Prague, ne se réveillant que lentement dans l'ère nouvelle.

Le palais Thun dans l'actuelle rue de l'Assemblée (Sněmovní ulice), fait exception. En 1801, il fut acheté par les États tchèques qui le firent reconstruire en siège de l'Assemblée. L'Assemblée du pays, originellement organe suprême de la communauté des États, y tenait ses sessions dans la seconde moitié du siècle, en tant que corps parlementaire élu du pays, aux temps de la monarchie constitutionnelle jusqu'en 1918. Après la formation de la République tchécoslovaque, l'Assemblée devint siège du sénat de l'Assemblée Nationale. Actuellement, c'est le siège du Conseil national tchèque respectant l'inscription complétant l'ornement du tympan au milieu du front du palais : Salus Rei Publicae Suprema Lex Esto (Que le bien-être de l'État soit une loi suprême).

Les activités de bâtiment de la noblesse furent reprises, après une certaine réanimation économique, par les bourgeois aisés. Les édifices intéressants, pour la plupart des maisons bourgeoises, se conservèrent, malgré les remaniements ultérieurs sur l'emplacement de l'actuelle place Dražického, dans la rue de Meissen (Míšeňská ulice), à Kampa, dans les rues Prokopská, Lázeňská ou Mostecká. Après 1700, les places et les rues de Malá Strana, surtout dans sa partie centrale, commencèrent à revêtir un aspect baroque, plus tard celui du rococo et du classicisme. Cependant la façade de l'époque n'est qu'une coulisse dissimulant les fondations anciennes apparaissant non seulement dans les dispositions intérieures des maisons, mais influençant souvent d'une manière importante et prédéterminant les plans des façades de l'époque.

L'avènement de la recatholisation provoqua une réanimation de l'édification sacrale incitée surtout par les ordres anciens revenant dans leurs sièges originaux, aussi bien que par les nouveaux ordres introduits dans le pays.

Les plus énergiques étaient les jésuites qui s'installèrent en 1628 auprès de l'église paroissiale Saint-Nicolas, au milieu de la place de Malá Strana, en y construisant tout d'abord une maison des métiers et, dans les années 1672—1687, sur l'emplacement des anciens édifices un ample ensemble collégial divisant la place, jusque-là homogène, en deux parties. L'église gothique originale céda, au début du 18e siècle, à la construction monumentale d'une église neuve. De 1701 à 1711, Christopher Dientzenhofer construisit une nef remarquablement voûtée de la nouvelle église. Son fils Kilian Ignace édifia, par la suite, dans les années 1737—1752 le presbytère avec la coupole et la

construction du complexe entier fut achevée par Anselmo Lurago, qui érigea, dans les années 1751—1756 un très haut clocher.

L'intérieur de l'église représente un des points culminants du baroque pragois, mariant d'une manière organique l'architecture, les plastiques et les peintures en un ensemble illusoire. Les auteurs de l'église réussirent, en plus, à réaliser une idée magnifique en harmonie parfaite avec l'ensemble et c'est ainsi que l'édifice, malgré son caractère dominant s'adapte au milieu environnant.

La deuxième oeuvre baroque de l'architecture sacrale à Malá Strana est l'église paroissiale Saint-Thomas datant de la seconde moitié du 13e siècle. Elle fut dévastée par des incendies dans les années 1419 et 1541 et chaque fois largement remaniée. Néanmoins la disposition principale des trois nefs est restée intacte, respectée même par Kilian Ignace Dientzenhofer, qui effectua les remaniements baroques en 1724 et 1731. Venceslas Laurent Reiner orna une nouvelle voûte relevée de fresques monumentales figurant parmi les oeuvres d'art les plus importantes à Malá Strana. L'église contient, à part de riches ornements de l'époque, une collection remarquable de meubles et d'oeuvres plastiques provenant de la décoration originale, exemple du baroque pragois et dont certaines oeuvres uniques sont liées à l'époque rodolphine.

Au-dessus du palais Thun-Hohenstein (actuellement ambassade d'Italie) dans la rue Nerudova s'élève l'église de la Sainte-Vierge, bâtie dans les années 1691—1717 par l'ordre des théatins, à la construction de laquelle prirent part les architectes du baroque pragois Jean B. Santini-Aichl et Jean Baptiste Mathey. L'escalier entre le palais et l'église conduit de la rue Nerudova aux escaliers du Château de Prague.

L'église Saint-Joseph à Malá Strana (Josefská ulice — rue Josef), bâtie dans les années 1687—1693 est la preuve des rencontres de différents styles architectoniques. Elle est bâtie d'après le plan de Donat Ignace de Jésu en style baroque néérlandais, avec une façade articulée par demi-colonnes et pilastres et ornée de statues de Mathias Venceslas Jäckel. Les tableaux de la Sainte Famille et de sainte Thérèse à l'intérieur de

L'édifice monumental de l'église Saint-Nicolas à Malá Strana
est encore plus beau sous l'éclairage
magique de la nuit

Les teintes automnales sur la colline de Petřín. La tour métallique haute
de 60 mètres fut inspirée par la tour Eiffel et est l'un des
précieux points de repeire de Prague

l'église sont une oeuvre du peintre du baroque pragois Petr Brandl, du début du 18e siècle.

Puis pendant la guerre de Trente ans, les Chevaliers de l'ordre de Malte adorant la Madone se mirent à restaurer leur siège grâce au grand prieur, le comte Rodolphe Collorado-Walsee et au prieur Bernard de Witte. L'église conventuelle de Notre-Dame, réduite en fait au seul choeur conservé de l'église médiévale, baroquisé par Carlo Lurago dans la seconde moitié du 17e siècle fut transformé en un impressionnant espace intime complété avec goût d'ornements et de meubles de qualité. La principale peinture d'autel de la bataille à Lepante et des membres de l'ordre de Malte adorant la Madone et la peinture de la décapitation de sainte Barbe sur l'autel latéral sont l'oeuvre de Karel Škréta de la seconde moitié du 17e siècle. Au 18e siècle, on construisit sur les deux côtés de l'église les bâtiments du couvent et du palais du Grand Prieur. Un des endroits les plus fréquentés par les touristes français à Prague, est la place Velkopřevorské où se trouve le palais Buquoy qui abrite l'actuelle ambassade de France.

Au cours des 19e et 20e siècles, le quartier de Malá Strana fut épargné des changements radicaux qui ont marqué sensiblement les agglomérations sur la rive droite. A côté de l'hôpital de la congrégation des soeurs de la Miséricorde sous la colline de Petřín, on construisit en 1855 l'église Saint-Charles Boromée en classicisme tardif. En traversant les jardins de l'hôpital qui montent jusqu'au monastère de Strahov, on peut admirer le splendide palais du Château de Prague ainsi que les maisons pittoresques de la rue Úvoz. A Malá Strana s'élevèrent également quelques bâtiments importants et des maisons bourgeoises en style historisant, cette promenade à travers Malá Strana vous Mènera, en continuant sur la gauche dans le quartier coloré et résidentiel de Smíchov (Prague 5).

Depuis 1891, un funiculaire facilite la montée au sommet de la colline de Petřín. Il fut construit à l'occasion de l'Exposition universelle de Prague, de même que la tour métallique, haute de 60 mètres, bâtie comme une petite copie de la Tour Eiffel de Paris.

Le visiteur ne manquera pas de visiter l'église Saint-Laurent située à proximité des remparts. Cet édifice d'origine romane fut reconstruit en style baroque aux frais de la confrérie des cuisiniers pragois, d'après le projet de Kilian Ignace Dientzenhofer.

Le «Labyrinthe» n'est pas non plus sans intérêt. Son couloir de miroirs conduit le visiteur jusqu'au combat illusoire des Pragois contre les Suédois sur le pont Charles en 1648.

La tournée des particularités de Malá Strana est loin d'être terminée. Car chaque maison, chaque palais, chaque jardin, chaque coin ou ruelle ont leur propre histoire écrite par leurs propriétaires, créateurs ou habitants.

La décoration extérieure et intérieure du Théâtre national fait l'orgueil
des Tchèques pour ce qui est de l'architecture
et de l'art de la fin du 19e siècle

LA NOUVELLE-VILLE DE PRAGUE

Le Théâtre national fut érigé dans les années 1868—1881 dans le style néo-Renaissance du sud de l'Italie, sur les plans de l'architecte tchèque Josef Zítek, et décoré par les plus grands artistes tchèques

En l'an de grâce 1348, le jour de la saint Marc, Charles, roi romain et de Bohême posa la première pierre et fonda la Nouvelle-Ville de Prague et fit construire des fortifications très solides avec des portes cochères et des tours élevées depuis Vyšehrad jusqu'à Poříč. Il ordonna aussi de planter autour de la ville des jardins et des vignes, par ailleurs le nombre de la population augmenta considérablement.

BENEŠ KRABICE DE WEITMILE
CHRONIQUE DE L'EGLISE DE PRAGUE

La façade imposante du Musée national qui domine la place Venceslas fut érigée
d'après les plans de l'architecte Josef Schulz dans un style
néó-Renaissance, entre 1885 et 1890

L'une des salles les plus importantes du Musée national est le panthéon,
un temple national dédié à la mémoire des grands
personnages de la nation tchèque

117

L'avenue Nationale (Národní třída) est rehaussée par le couvent et l'église
Sainte-Ursule ainsi que l'ensemble du Théâtre national,
qui se situent vers la rivière

118

La série de maisons Art nouveau et pseudo-historiques, quai Masaryk, en face de l'île Slovanský,
constitue un échantillon pompeux des plus intéressants de l'architecture bourgeoise
de la Nouvelle-Ville au tournant du 19ᵉ et du 20ᵉ siècles

119

Le palais baroque Sylva-Taroucca dans la rue Na Příkopě fut réalisé d'après les plans de l'architecte Kilian Ignac Dientzenhofer entre les années 1743 et 1751. L'auteur des sculptures ornant la façade est Ingac François Platzer

Pour la nouvelle agglomération, on désigna un emplacement derrière les remparts de la Vieille-Ville, dans un large arc entre Vyšehrad au sud et la rive de la Vltava en face de l'île de Štvanice au nord. En deux ans, on construisit les fortifications de la Nouvelle-Ville de Prague d'une longueur de presque trois kilomètres et demi et attenant au sud, au-dessus du ruisseau de Botič, à la forteresse de Vyšehrad. Selon une partie conservée de ces remparts au-dessus de la vallée de Nusle, il est à supposer que l'enceinte de la ville était d'une épaisseur de deux à trois mètres et d'une hauteur allant jusqu'à six mètres avec un pourtour pour les défenseurs. Les fortifications simples, sans glacis étaient protégées par un fossé et une enceinte. Elles avaient été renforcées par deux grands contreforts — l'un à Karlov, au-dessus de la vallée de Botič et l'autre au nord-est, en face de la colline de Vítkov, puis par dix-neuf tours de ligne, trois portes cochères, formées par le passage entre deux tours et une porte — petite forteresse Saint-Jean, dite «aveugle» ou «de truie». Il va de soi que la Nouvelle-Ville n'avait pas été entourée de remparts du côté de la Vieille-Ville et de Vyšehrad. Les fortifications n'avaient entouré non plus la partie riveraine de la ville fondée le long de la Vltava, à partir de l'embouchure de Botič dans la Vltava à Podskalí jusqu'au rocher Saint-Venceslas à Zderaz où plus tard le fils de Charles, Venceslas IV, fit construire un petit château fort d'où l'on pouvait surveiller la rive menacée. Plus loin au Nord, jusqu'aux fortifications de la Vieille-Ville, l'accès libre à la rivière était pénible, car le système de barrage de retenue avait fait en effet partie de la défense de la rive non fortifiée. De même la partie inférieure de la Nouvelle-Ville près de la Vltava n'était pas entourée de fortifications, mais l'ennemi ne pouvait que très difficilement traverser la rivière justement à cause des barrages qui étaient liés directement au débouché des fortifications sur la rive de la Vltava et une descente à la rivière était difficile, étant donné la raideur des pentes de la rive de Letná de l'autre côté.

Le projet urbanistique de la Nouvelle-Ville fut réalisé par un auteur inconnu, mais derrière l'oeuvre grandiose, on peut discerner la touche politique et culturelle de la personnalité de Charles IV, car son idée d'agglomération adéquate à l'importance du Saint-Empire romain tout entier mûrissait dans les milieux français et d'Italie du nord, considérablement plus évolués avec lesquels il s'était familiarisé comme jeune prince royal. Il va donc de soi que le complexe urbain existant, sa superficie et son style urbanistique étaient loin de satisfaire les exigences de Charles quant à la représentativité du siège du plus puissant monarque de la chrétienté de l'époque.

La conception urbanistique de Charles relative à la nouvelle agglomération envisageait de bâtir et de peupler un immense emplacement avec une quantité de places, rues, églises et couvents de manière comparable aux grandes villes qu'il avait eu l'occasion de connaître comme prince royal. Le nouvel emplacement comprenait des parcelles ayant une superficie totale de quelques 360 hectares. Trois espaces centraux — le Marché au bétail (actuellement place Charles, Karlovo náměstí), dont la superficie dépasse huit hectares, était à l'époque la plus grande place d'Europe, puis le marché aux chevaux place Venceslas (Václavské náměstí) avec plus de quatre hectares et le Marché au foin (Senovážné náměstí) comme la principale place de la partie inférieure de la ville, destinée au marché au foin et aux céréales — formaient les trois principaux axes de la ville auxquels se liait un réseau de ruelles et de rues.

La Nouvelle-Ville de Prague devait respecter le même statut juridique que la Vieille-Ville et devait avoir un conseil municipal à part. Celui qui obtenait une parcelle était obligé d'achever la construction en dix-huit mois. Les maisons ne devaient pas être grevées d'une hypothèque dépassant la moitié de leur valeur pour que leurs propriétaires fussent à même d'assurer toujours l'entretien nécessaire. Dans l'acte de fondation, Charles IV rappela également une disposition portant sur la protection spéciale des Juifs. Les enceintes de la Nouvelle-Ville entouraient également les colonies originales avec leurs églises paroissiales et d'autres paroisses virent le jour autour des nouvelles églises, alors que la Nouvelle-Ville fut divisée en douze paroisses. A part les églises paroissiales, le monarque lui-même fonda d'autres églises et cloîtres. A la Montagne-des-vents, dans la partie supérieure de la ville, s'élevait après 1362, l'église Saint-Apollinaire, à proximité de laquelle Charles IV fonda, déjà en 1354 le couvent de l'église Sainte-Catherine pour

121

Le hall de la gare Centrale, en forme de coupole, est une construction
de style Art nouveau datant des années 1901—1909, dont l'auteur
est l'architecte Josef Fanta

l'ordre des augustines. Ce n'est qu'une tour élancée, octogonale aux étages supérieurs qui s'est conservée jusqu'à nos jours. Elle est appelée «minaret de Prague». Dans un grand monastère neuf Na Slovanech avec l'église de la Sainte-Vierge et des patrons slaves, on installa le couvent des bénédictions de la liturgie slave rappelant la vieille tradition de Cyrille et Méthode et le rôle joué par l'Eglise dans la christianisation de la Moravie et de la Bohême. L'édification du complexe commença en 1348 et se termina par une consécration solennelle en 1372. Ce monument se trouve dans la rue Vyšehradská, au sud de la place Charles. Le nouveau bâtiment de l'église conventuelle de l'Assomption de la Vierge et de Charlemagne, à l'endroit le plus élevé de la nouvelle agglomération, au-dessus du ruisseau de Botič, en face de Vyšehrad, appartenait aux chanoines augustins et ne fait que confirmer le rapport de Charles IV envers Charlemagne qu'il indiqua comme son prédécesseur et modèle monarchique. La grandeur imposante de l'oeuvre est mentionnée notamment sur le plan de Prague datant de 1562.

D'autres monastères fondés par le monarque prouvaient ses efforts d'intégration, car ils étaient destinés, pour la plupart, aux religieux nouvellement venus. A titre d'exemple, dans la vallée de Botič, près des fortifications de la Nouvelle-Ville sous Vyšehrad, les services obtinrent leur cloître avec la petite église de l'Annonciation (Notre-Dame-sur-l'herbe) bâtie après 1360. Près du fossé des remparts de la Vieille-Ville était bâti l'édifice massif de l'église conventuelle de la Sainte-Vierge-des-Neiges (place Jungmann) appartenant aux carmélites et une autre, Saint-Ambroise, avec le monastère des bénédictins de la liturgie milanaise (qui se trouvait en face de l'actuelle tour poudrière).

La fondation de la Nouvelle-Ville suscita également la restauration de la vieille église dominicale Saint-Clément dans le quartier Pierre. L'église fut achevée vers la fin du règne de Charles. Les aménagements transformèrent également l'église paroissiale du quartier Petrská «Saint-Pierre» à Poříčí et

La décoration intérieure du bâtiment de la gare Centrale est un exemple parfait de l'Art nouveau pragois, courant artistique du début du 20e siècle, dans ce qu'il a de plus pur

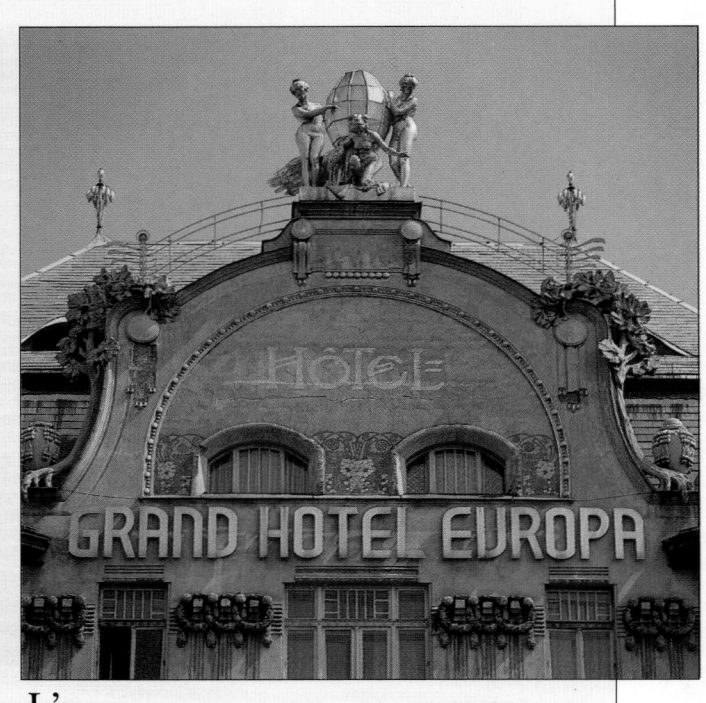

L'hôtel Evropa et sa magnifique enseigne de façade se trouve place Venceslas. C'est une construction Art nouveau de haute qualité, datant de l'année 1906

Décoration typique d'une façade d'un immeuble Art nouveau sur le guai Masaryk (Masarykovo nábřeží),
les sculptures expressives ont souvent pour thème des jeunes femmes, des masques ornementaux
à visage humain ainsi que des branches en stuc entourant portes et fenêtres

les églises à Jircháře. On reconstruisit l'église paroissiale du quartier de Zderaz Saint-Venceslas à Zderaz, cependant le monastère de Zderaz fut aboli au début de la révolution hussite. Déjà au début des constructions, on commençait à bâtir l'église paroissiale Saint-Henri et Sainte-Cunégonde.

Tous les édifices sont la preuve de la nouvelle architecture sacrale naissante et se répandent dans la Nouvelle-Ville. Les églises de la Nouvelle-Ville de l'époque de Charles avaient un trait commun — une tendance à créer un intérieur harmonieux et à équilibrer les dimensions extérieures par rapport à l'agglomération existante et potentielle.

Sous le règne de l'empereur Charles IV, au milieu du Marché au bétail, on exposait chaque année, toujours le premier vendredi suivant le dimanche de Pâques, les reliques impériales conservées tout d'abord dans la Cathédrale Saint-Guy et plus tard à Karlštejn.

On avait dressé, à cette occasion, un grand édifice en bois. Sous le règne de Venceslas, fils de Charles; on bâtit, à cet endroit, une chapelle du Saint-Sacrement (place Charles).

Charles IV s'engagea vis-à-vis des habitants de la Vieille-Ville, par un acte spécial, à ce que la fondation de la Vieille-Ville ne leur portasse pas préjudice — il leur assura un passage libre à travers la ville et la détention de deux portes cochères de la Nouvelle-Ville, tout en ordonnant que certains métiers gênant par leurs bruits et leurs odeurs la Vieille-Ville, populeuse et fort habitée, déménageassent dans la Nouvelle-Ville.

Le monarque tentait d'unir les villes pragoises en un seul ensemble et il réalisa, pour un certain temps (1367—1377) son intention, mais le statut déséquilibré des communes et la rancoeur mutuelle des citadins le forcèrent à renouveler le statu quo.

La naissance et l'édification de la Nouvelle-Ville changea la composition des habitants de la Prague médiévale. Tandis que dans la Vieille-Ville le patriciat marchand avait un certain pouvoir, dans la Nouvelle-Ville les artisans d'origine tchèque dominaient, dès le début, même si une partie des habitants bilingues de la Vieille-Ville, attirés par les possibilités de développement futur, y déménagèrent,

par ailleurs de nouveaux habitants venus d'autres pays s'y installaient au fur et à mesure.

Les conditions sociales relatives aux nationalités et aux religions existant dans la Nouvelle-Ville permirent au mouvement hussite de prendre des formes radicales dans sa phase primaire. Sous la direction de l'ancien prêtre des prémontrés, le prédicateur hussite Jean Želivský de l'église Sainte-Marie-des-Neiges et déjà avec la participation de Jean Žižka de Trocnov, eut lieu, à la fin de juillet 1419, la première défenestration de Prague. A la suite des débats sans succès de Jean Želivský avec les échevins antihussites détestés que le roi Venceslas IV avait approuvés à la tête de la ville, débat concernant la remise en liberté des chefs hussites emprisonnés, la foule fit irruption dans l'Hôtel de ville de la Nouvelle-Ville et jeta par les fenêtres de la salle du Conseil les échevins présents sur des lances et hallebardes préparées en bas.

La révolte dans la Nouvelle-Ville de Prague marqua ainsi le début de la révolution hussite dans laquelle la Nouvelle-Ville était toujours un facteur plus radical que son voisin pragois, plus âgé et plus riche. Elle s'appuyait sur son alliance avec Jean Žižka et après sa mort avec ses successeurs appelés Orphelins.

La Nouvelle-Ville se divisait, tout comme la Vieille-Ville, en quartiers municipaux, tels que Zderazská, Svatoštěpánská, Jindřišská et Poříčská. La division en quartiers servait en même temps de base à l'organisation militaire milicienne qui avait fait ses preuves aux temps de la révolte hussite.

La rancoeur mutuelle entre les deux villes hussites de Prague provoquait constamment des heurts sans importance que leurs alliés provinciaux devaient aider à arranger. Elle finit par culminer la veille de la bataille de Lipany en 1434, où les habitants de la Vieille-Ville, assistés par les troupes de l'Unité des nobles, humilièrent leur rival permanent et supprimèrent les privilèges dont l'Hôtel de ville de la Nouvelle-Ville jouissait.

Les accords de Bâle, au moyen desquels les hussites obtinrent la reconnaissance officielle de leurs principales revendications dogmatiques, qui assuraient, entre autres, l'égalité en droit des utraquistes et des catholiques. Cependant, dans les villes pragoises, les citadins conditionnaient l'acquisition du droit de cité par l'aptitude religieuse de communier

La Nouvelle-Ville de Prague. Sur la gauche le bâtiment imposant du Théâtre
national. Sur la droite de quai Masaryk (Masarykovo nábřeží)
avec ses immeubles Art nouveau

127

L'entrée décorée d'un immeuble Art nouveau quai
Masaryk, où se tenait la chorale
patriote Hlahol

sous les deux espèces. La plaque en pierre avec les articles des accords était placée sur le mur de la chapelle du Saint-Sacrement au plus grand marché de la Nouvelle-Ville et à l'endroit où la révolte commença, on annonça ainsi symboliquement sa victoire. Sigismond de Luxembourg finit par être accepté comme roi de Bohême et aux délégations allant à Brno et à Jihlava pour en négocier les conditions, on désigna également les citadins de la Nouvelle-Ville à laquelle Sigismond confirma; au cours de son court règne, les anciens privilèges et en attribua de nouveaux. Dans

de l'Hôtel de ville, traversée par une porte cochère. Sous les Jagellon, les aménagements de l'Hôtel de ville de la Nouvelle-Ville continuaient, pour aboutir en 1521—1526 à une restauration de l'aile sud, où le gothique tardif et les éléments Renaissance s'interpénétrèrent. De même le beffroi angulaire reçut de nouvelles fenêtres Renaissance. La restauration fut effectuée par Benedikt Ried de Pístov. Le cimetière juif de la Nouvelle-Ville fut supprimé en 1478, et ses terrains furent lotis et construits — rappelons au moins la rue Vladislas existant jusqu'à nos jours.

La façade de la maison Hlahol, qui est la maison du choeur de Prague, immeuble Art nouveau construit dans les années 1903—1905 sur les plans de l'architecte Josef Fanta, est décorée par des statues de Josef Pekárek

Partie d'une maison d'angle, quai Masaryk, richement ornée de statues et compartimentée. Non loin du Théâtre national se trouve un bâtiment Art nouveau de l'architecte Jiří Stibral, datant de 1905

la période d'interrègne, Georges de Poděbrady s'empara de Prague en pénétrant avec ses hommes à travers Vyšehrad et les fortifications de la Nouvelle-Ville près de Karlov, dans la vallée de Botič. En tant que lieutenant général du pays et plus tard aussi roi de Bohême il s'appuyait sur les villes. Durant sa lieutenance générale, les habitants de la Nouvelle-Ville édifièrent un nouveau beffroi prismatique

Dans la proximité du Théâtre national, près du bâtiment Mánes se trouve le château d'eau Šítkovská, construit en 1489. On en distribuait l'eau, à travers une conduite en bois, dans les fontaines de la Nouvelle-Ville. A part la construction et la restauration des maisons citadines, on continuait à remanier les ouvrages de l'église: sous le règne de Vladislas, on restaura l'église dévastée et on rénova la voûte du

129

Entrée richement décorée d'un immeuble Art nouveau quai Masarykovo.
L'ancien Institut Goethe fut construit à l'origine pour la Compagnie
d'assurances tchèque

130

Incroyable décor en stuc de la maison de style gothique Art nouveau
n° 234/26. Sur le portail orné d'arbres en stuc on
peut voir des oiseaux et des chouettes

131

La voûte d'une nef d'église surmontée d'une croix se dresse au-dessus des toits des maisons de la Nouvelle-Ville,
L'église de la place Jungmann est consacrée à Notre-Dame-des-Neiges. Jan Želivský
y a prêché au début de la révolutin hussite

presbytère, on remania la petite église de Notre-Dame sur l'herbe, endommagée lors du siège de Vyšehrad pendant les guerres hussites. Dans les années 1470, on commença la construction d'un campanile gothique près de l'église Saint-Henri et Sainte-Cunégonde.

Le combat politique entre les villes et la noblesse obligea, au début du 16e siècle, la Vieille-Ville et la Nouvelle-Ville à s'unir pour pouvoir affronter ensemble la pression de la noblesse. Cependant, les deux villes revinrent à une administration autonome sous le règne de Ferdinand Ier. Les citadins de la Nouvelle-Ville assistèrent, eux-aussi, à la résistance en 1547, et après son échec, un grand nombre en fut puni, l'administration municipale fut mise sous la surveillance d'un maïeur du roi et d'un prévôt. Et c'est ainsi que le statut des villes pragoises, édifié pendant de longues années, s'écroula. La défaite de 1547 condamna les villes pragoises à la passivité politique. Sous Rodolphe se produisit une réanimation de la vie économique et dans la Nouvelle-Ville apparurent également, de nouveaux bâtiments influencés par le nouveau style Renaissance. En 1609, les États tchèques délibérèrent à l'Hôtel de ville du sort de la Nouvelle-Ville et Rodolphe II finit par leur accorder les «Lettres impériales des libertés religieuses». Sous l'intervention des troupes de Passau et pendant l'état d'alerte dans la Nouvelle-Ville, le peuple se précipita sur les monastères qu'il considérait comme cause de tous les maux et alors, on endommagea gravement l'église de la Sainte-Vierge-des-Neiges et le cloître de Karlov.

Les échevins de la Nouvelle-Ville se joignirent le 23 mai 1618, à la révolte des États tchèques contre les Habsbourg. Après la défaite de l'armée des États tchèques contre les Habsbourg à la Montagne Blanche, un grand nombre payèrent de leur vie et de leurs biens, d'autres furent obligés de quitter le pays. Au cours de la guerre de Trente ans, Prague fut deux fois assiégée par les troupes suédoises. Il s'avérait que les fortifications de la Nouvelle-Ville datant de la moitié du 14e siècle ne pouvaient pas assurer une défense efficace de la ville contre les cannonades de l'époque et pour cette raison elles furent améliorées à l'aide d'éléments de fortification provisoire. Cependant, dans les années suivantes, les nécessités imposèrent une édification de fortifications baroques modernes.

Dans la première phase du renouveau de la ville après la paix de Westphalie, l'influence du nouveau style baroque se fit valoir notamment grâce aux constructions réalisées par l'église catholique victorieuse. Les jésuites étaient en avant-garde, suivis d'autres ordres. Dans la Nouvelle-Ville, ils acquirent un vaste espace de construction dans la partie supérieure du Marché au bétail (place Charles) et toute la moitié du front sud de la place fut occupée par le complexe du collège et de l'église Saint-Ignace de Loyola (kostel sv. Ignáce), construite dans les années 1652—1670 selon le projet de Carlo Lurago, élargie dans les décennies suivantes par d'autres architectes et complétée par des ornements artistiques et des meubles. En 1773, à la suite de l'abolition de l'ordre des jésuites, le collège fut transformé en hôpital militaire.

Sur le plan de l'architecture sacrale, se manifesta, à côté du baroque des façades et des intérieurs de certaines églises plus anciennes, un nouveau style proclamé par certains maîtres éminents du baroque. Le couvent de l'ordre de Sainte-Elisabeth (entre l'actuel jardin botanique et Albertov) naquit dans les années 1724—1732 selon les plans de Kilian Ignace Dientzenhofer, aux frais de Marguerite de Wallenstein. Le vaste jardin du couvent s'étendit jusqu'aux pentes du Mont-des-vents. Les membres de l'ordre de Sainte-Élisabeth fondèrent près du couvent un hôpital qui, élargi au 19e siècle, est toujours en fonction actuellement.

Dans les années 1737—1741, à l'endroit de l'église détruite sous les guerres hussites, les augustins bâtirent dans la partie supérieure de la Nouvelle-Ville la nouvelle église Sainte-Catherine selon le projet de l'architecte François Maximilien Kaňka. C'est un bâtiment homogène de style baroque. L'église s'est illustrée par ses plafonds de Venceslas Laurent Reiner et ses décorations en stuc de Giovanni Battista Spinetti.

A l'angle de l'actuelle avenue Nationale (Národní třída) et de la rue des ursulines (Voršilská ulice), Marco Antonio Canevalle bâtit de 1699 à 1704 une église conventuelle consacrée à Sainte-Ursule dont la façade est ornée de sculptures de François Preiss et Jérôme Kohl. Déjà auparavant, depuis l'an 1674, on édifiait les bâtiments du couvent achevés en 1722. Aussi l'église de la Sainte-Trinité dans la rue

133

Spálená, auprès du monastère des trinitaires, consacrée en 1703, est-elle une construction remarquable fondée par Jean Ignace Putz d'Alderthurn et bâtie d'après l'architecte Ottavio Broggio.

Le nouveau culte du saint baroque Jean-Népomucène imposait, de même que dans d'autres villes, l'édification d'un nouveau sanctuaire. Dans la Nouvelle-Ville, c'est l'église Saint-Jean Népomucène-

Dans la rue Vodičkova qui débouche à mi-hauteur de la place Venceslas, se trouve le célèbre restaurant et théâtre de variétés «U Nováků». Cette maison, qui devait être un grand magasin à l'origine, mérite l'attention avant tout pour son style Art nouveau

sur-le-Rocher, située au sud de la place Charles, au-dessus de la vieille voie menant à Vyšehrad. C'est une oeuvre magistrale de l'architecture dynamique de Kilian Ignace Dientzenhofer des années 1730—1739, un édifice central avec deux tours frontales. A la même époque, on construisit l'église originellement Saint-Charles Boromée avec un hospice pour les vieux prêtres.

Actuellement elle appartient à l'église orthodoxe et, est consacrée à Cyrille et Méthode (la rue Resslova). Cette remarquable oeuvre de Kilian Ignace Dientzenhofer s'inscrivit dans l'histoire moderne, car en 1942, après l'attentat contre le protecteur délégué du Reich, Reinhard Heydrich, s'y cachèrent les parachutistes tchécoslovaques qui, leur abri une fois dénoncé, se donnèrent la mort.

Plusieurs oeuvres remarquables de l'architecture bourgeoise ou de palais dans la Nouvelle-Ville rappellent les époques baroque et rococo. Elles se distinguent surtout par leurs façades pittoresques remaniées au cours des deux siècles suivants en d'autres styles. Notons au moins quelques unes. Une des premières oeuvres de Kilian Ignace Dientzenhofer de 1720 — la villa Amérique dans la partie supérieure de la Nouvelle-Ville, aujourd'hui musée Dvořák — est d'un intérêt particulier. Le même architecte réalisa, dans la dernière période de sa création, le palais Sylva-Taroucca dans l'avenue Na Příkopě.

Dans l'actuelle rue Hybernská, commençant en face de la Tour Poudrière et menant à la gare Masaryk, se trouve le palais Kinský du premier baroque, bâti dans les années 1651—1657 par le comte Jean Antoine Losy de Losinthal selon le projet de l'architecte Carlo Lurago. L'édifice fut plus tard remanié en style clacissisme. Des environs de 1700 provient également le second palais Kinský se trouvant sur l'autre côté de la rue. Seul le portail de baroque primitif a survécu à la modernisation. Dans un autre style le palais Sweerts-Sporck compte parmi les curiosités architecturales les plus intéressantes de la Nouvelle-Ville. La partie baroque tardive, datant de l'année 1780, est de l'architecte Antoine Haffenecker; 10 ans plus tard Ignace Palliardi y a ajouté une partie classique. Quant à la décoration du palais, elle est l'oeuvre d'Ignace Michel Platzer qui appartient à la célèbre famille de sculpteurs pragoise.

Dans la rue Panská, entre Na Příkopě et la rue Jindřišská, à côté du couvent piariste se trouve le pa-

lais baroque Neuberg, construit vers 1730 par Joseph François Neus, et le palais Kaunický, des années 1710—1720 réalisé par l'architecte Giovanni Battiste Alliprandi.

Le siècle des Lumières et le rationalisme à partir de la fin du 18ᵉ siècle ont considérablement influencé le destin des villes. L'abolition du servage par la patente impériale de Joseph II augmenta l'afflux de la population rurale à Prague, ce qui renforça les courants tchèques. Les réformes de l'absolutisme rationaliste ouvrirent les voies à de nouvelles pensées. La prise de conscience et l'assurance de la bourgeoisie tchèque augmentèrent, ainsi que le patriotisme de la noblesse, en réaction au centralisme bureaucratique de Vienne.

Dans ce climat favorable, le classicisme entra dans les rues pragoises en tant que style architectural dominant. Il se manifesta nettement dans la Nouvelle-Ville pour être substitué plus tard par l'historisme romantique, renouant avec les styles anciens.

L'église de la Sainte-Croix de 1819—1824, se trouvant à l'angle de la rue Panská et de l'avenue Na Příkopě est un édifice de classicisme digne d'intérêt, de même que l'annexe en style classicisme de l'église Notre-Dame, en face de la Tour Poudrière, ou bien la maison dite «U Hybernů» de 1808—1811. Les deux bâtiments furent réalisés d'après les projets de Georges Fischer.

L'ouverture en 1881 du Théâtre national (Národní divadlo) nouvellement construit, tabernacle culturel digne de la nation tchèque, couronna les ef-

Toute cette rive, de la place Jirásek au Théâtre national, présente un aperçu de la production des architectes à Prague en matière d'Art nouveau, mais ou y trouve aussi des maisons très intéresantes de style néo-gothique, et néo-baroque

forts de longues années déployés par la nation et ses représentants intellectuels.

Le bâtiment réalisé d'après le projet de l'architecte Josef Zítek et avec la participation de la pléiade d'artistes tchèques, appelée «génération du Théâtre national», succomba sous peu à un incendie, mais dans un délai extrêmement court de deux ans, fut réouvert en 1883.

Les ornements plastiques du Théâtre auxquels participèrent les peintres František Ženíšek, Mikoláš Aleš, Václav Brožík, Julius Mařák, Vojtěch Hynais, Josef Tulka et d'autres ainsi que les sculpteurs Bohuslav Schnirch, František Rous, Emanuel Hallman, Ladislav Šaloun, Antonín Wágner, Jaroslav Štursa, Josef Václav Myslbek et d'autres créèrent, pour la première fois, les conditions permettant de confronter la tradition historique avec la vision actuelle de la société tchèque et fut, à maints égards, un acte fondateur.

La prise de conscience de la nation éveillée s'inscrivit dans l'aspect de la Nouvelle-Ville et de Prague toute entière par la construction néo-Renaissance du Musée national — jadis Museum regni Bohemiae — réalisé selon le plan de Josef Schulz et achevé en 1890 dans la partie supérieure de la place Venceslas. Cependant, le début de la naissance de ce tabernacle national qui posa les bases de la science tchèque et devint une des éminentes institutions des sciences et collections en Europe, est dû à l'Institut de la patrie fondé par un groupe de dilettantes et savants érudits en 1818.

Outre les bâtiments les plus connus de style néo-Renaissance — comme le Théâtre national et le Musée national — la Nouvelle-Ville présente toute une série de constructions du style, caractéristiques de la seconde moitié du XIXe siècle. A l'emplacement des anciennes fortifications aujourd'hui détruites de la Nouvelle-Ville, dans l'actuelle rue «Na Florenci», fut construit le Musée de la ville de Prague, conçu par Antonín Wiehl dans un style néo-Renaissance précieux et richement décoré par un ensemble de sculpteurs et de peintres tchèques de qualité comme Ladislav Šaloun, Karel Liebschner ou Vilém Amort.

Du même style et non moins intéressant, il y a, rue Vyšehradská, reliant la place Karlovo à Vyše-hrad, l'hospice de la ville, datant de 1884. Ce grand bâtiment est décoré par des statues allégoriques de Josef Václav Myslbek et de Josef Strachovský. Le jardin botanique, non loin de là, vaut la peine d'être mentionné. Aménagé à la fin du XIXe siècle, il est encore en état de nos jours et fait l'objet d'une visite intéressante. Cette partie de la Nouvelle-Ville, entre la place Charles et Vyšehrad, regorge de maisons d'habitation de style néo-Renaissance, souvent ornées de belles peintures qui s'inspirent de l'histoire de la Bohême.

Au coin de la place Charles et de la rue Resslova, se dresse une maison construite en 1883 sur les plans de l'architecte Ignác Ullmann, dans un style néo-Rennaissance du nord de l'Italie. Josef Václav Myslbek, un des plus grands sculpteurs tchèque, a également travaillé à la décoration de ce bâtiment.

En face du Théâtre national, sur l'île Slovanský, désignée aussi par son nom d'origine Žofín, s'érige une magnifique construction de style néo-Renaissance, datant de 1886 et conçue comme salle de bals, de concerts et autres rassemblements. Aujourd'hui encore elle sert aux activités de ce genre.

La bâtiment de la poste, dans la rue Jindřišská qui part de la place Venceslas, est de la même époque. Son vaste hall, couvert de peintures allégoriques représentant l'organisation des transports postaux, retient spécialement l'attention des visiteurs, qui peuvent l'admirer à loisir car le bâtiment fait toujours office de poste centrale.

L'essor fulgurant de Prague commença avec l'industrialisation dès le début du 19e siècle. Sur l'emplacement des vignes, vergers et champs, de petits hameaux et villégiatures, naissaient de nouveaux faubourgs industriels, tout d'abord avec la production textile, et plus tard mécanique. La Nouvelle-Ville n'a été touchée qu'indirectement par l'industrialisation, malgré un grand nombre de parcelles vides ou espaces peu construits. L'industrie préférait les espaces libres hors des fortifications. Il y restait donc suffisamment de place pour les besoins de la ville, comme par exemple la construction des hôpitaux et plus tard des bâtiments universitaires sur l'emplacement entre la place Charles, Karlov et Vyšehrad. Le complexe de bâtiments en brique, sans crépi, en style gothique d'Allemagne du nord, — la maternité pragoise, installée aupara-

C'est dans la rue Ke Karlovu que le célèbre architecte Kilian Ignace Dientzenhofer
a conçu la résidence d'été baroque de Venceslas Michna
de Vacínov, baptisée Amérique (Amerika)

137

Deux églises parmi celles qui ont été construites sous Charles IV dans la Nouvelle-Ville:
dans la vallée où coule le ruisseau Botič, la petite église de l'Annonciation
et sur la colline des Vents (Větrov), l'église Saint-Appolinaire

L'église de la Vierge et de Charlemagne (kostel Panny Marie a sv. Karla Velikého)
et le monastère des chanoines Saint-Augustin surplombent la Nouvelle-Ville,
au-dessus de la vallée du ruisseau Botič

139

vant dans la proche résidence canoniale Saint-Apollinaire, attire l'attention.

Depuis 1845, où le premier train vint de Prague par la ligne de chemin de fer nouvellement bâtie sur la voie Olomouc, Brno et Vienne, la Nouvelle-Ville est devenue le noyau du futur noeud ferroviaire de Prague. Le bâtiment de la première gare pragoise de l'empereur François Ier des années 1844—1855 (actuellement gare Masaryk), est toujours en fonction. Il s'agit d'une construction du classicisme tardif à deux tours, réalisée d'après le projet de Antonín Jüngling. L'élargissement du réseau ferroviaire dans les années 1880 a exigé une reconstruction du noeud de Prague. Une nouvelle gare centrale François-Joseph Ier (actuellement gare Wilson) fut construite et reliée à toutes les branches de chemin de fer notamment après la construction du tunnel sous Vinohrady en direction de České Budějovice et Linz. Le bâtiment de la gare des années 1901—1909 est un des plus précieux exemples Art nouveau de Prague.
A côté du néo-baroque culminent l'éclectisme architectural et la liberté des formes dans l'édification de la nouvelle Prague. La synagogue Jubilaire rend compte de la variété des styles qu'on rencontre dans les construction de la Nouvelle-Ville au début du siècle.

Construite en 1906 dans un style pseudo-mauresque, elle se trouve dans la rue Jeruzalémská, qui relie la place Senovážné au terre-plein devant la gare centrale.

Parmi les construcions de type Art nouveau, une des plus remarquables de la ville est la maison des petits chanteurs de Prague, quai Masaryk, en face de l'île Slovanský. Construite sur les plans de l'architecte Josef Fanta dans les années 1903—1905, elle est pourvue de magnifiques statues du sculpteur Josef Pekárek, que viennent compléter, sur la façade de la maison, les peintures ornementales de Karel Mottl. Non loin de là, en allant vers le Théâtre National, on aperçoit un bâtiment qui fait un angle — l'Institut Goethe — construit en 1905 par l'architecte Jiří Stibral dans un pur style Art nouveau et richement décoré avec des statues de Ladislav Šaloun. Toute cette rive, de la place Jirásek au Théâtre national, présente un aperçu de la production des architectes à Prague en matière d'Art nouveau, mais ou y trouve aussi des maisons très intéressantes de style néo-gothique, gothique-Art nouveau, et

néo-baroque. Cette variété ne nuit pas à des styles qui s'enrichissent mutuellement et traduisent malgré tout une volonté d'unification architectonique. La maison qui se dresse à l'angle de la place Jirásek et du quai Rašínovo, datant de 1904 et conçue par l'architecte Václav Havel, offre une attraction certaine pour les touristes. Dans la rue Vodičkova qui débouche à mi-hauteur de la place Venceslas, se trouve le célèbre restaurant et théâtre de variétés «U Nováků». Cette maison, qui devait être un grand magasin à l'origine, mérite l'attention avant tout pour son style Art nouveau.

Nombre de constructions de cette époque étaient des bâtiments publics - comme l'hôtel Evropa à l'origine hôtel Šroubek. Il possède une magnifique façade du genre et l'intérieur, préservé tel quel jusqu'à nos jours, est encore en fonction. L'hôtel Central de la rue Hybernská, quant à lui, n'est plus en service, mais on peut admirer sur la façade de fins motifs d'inspiration végétale.

La place Venceslas offre une enfilade de bâtiments d'un pittoresque exquis de la fin du 19e et du début du 20e siècles. On peut admirer outre l'hôtel Evropa, un palais néo-baroque datant de 1895, au coin de la rue Jindřišská et de la place Venceslas, ou encore la maison Wiehl des années 1895—1896, située à l'angle de la rue Vodičkova et de la place Venceslas, avec une façade et des peintures réalisées selon Mikoláš Aleš et Josef Fanta.

Cependant, un visiteur attentif traversant la Nouvelle-Ville remarquerait de tels joyaux sur chacune des places, même presque dans chaque rue de la Nouvelle-Ville.

La Nouvelle-Ville n'a cessé d'embellir au cours des années pour revêtir sa forme actuelle. Elle fut heureusement épargnée des constructions disgracieuses, même si son état et son atmosphère furent considérablement touchés par l'emplacement irréfléchi de l'autoroute traversant la ville. En dépit de tout, la Nouvelle-Ville, avec sa place Venceslas au centre, reste l'artère la plus animée de la capitale.

Josef Václav Myslbek dessina la statue équestre en bronze de saint Venceslas, saint patron des pays tchèques, située en haut de la place Venceslas. Ce trésor architectonique est l'oeuvre d'Alois Dryák, les ornements furent réalisés par Celda Klouček

141

Décorations de la porte d'entrée dans l'église capitulaire Saint-Pierre-et-Saint-Paul
à Vyšehrad — le lion tchéque et l'aigle de saint Venceslas,
symboles de l'État tchéque

VYŠEHRAD

La sculpture en bronze représentant l'étreinte de l'amour et de la mort sur l'une des pierres tombales du cimetière de Vyšehrad est une oeuvre de style Art nouveau exécutée par le sculpteur Bohumil Kafka

Le roi Vratislas monta, sur ses propres épaules, imitant l'ancien empereur Constantin, douze hottes de pierres, posa les premiers fondements de la construction et fit construire l'église de Vyšehrad sur le modèle de l'église Saint-Pierre à Rome. Car ce fut ainsi que le roi de Bohême Vratislas humilia, par son esprit zélé et habile, l'absence dédaigneuse de son frère, évêque pragois, et il favorisa considérablement son église de Vyšehrad, dans laquelle il choisit son tombeau, la parant d'ornements ecclésiastiques et aussi en prenant en charge les frais de son édification.
Il désigna le prévôt de Vyšehrad aussi comme chancelier du royaume et il arrangea avec sagesse la participation du prévôt aux conseils royaux, et ce dernier prit ainsi sa place parmi les éminents hommes du royaume.

EXTRAIT DE LA CHRONIQUE TCHÈQUE DE PŘIBÍK DE RADENÍN

Sur l'éperon rocheux dont l'extrémité se précipite abruptement dans le cours de la Vltava, s'était étendu jadis le siège des princes et rois tchèques. Vyšehrad fut probablement fondé seulement dans la seconde moitié du 10e siècle comme second château fort princier en vue de surveiller l'entrée dans le bassin pragois. Le premier témoignage authentique est apporté par les «deniers», monnaie tchèque frappée dans l'atelier de Boleslas II et de ses successeurs.

Cependant, l'épanouissement du château fort se produisit seulement sous le règne du prince Vratislas Ier (1061—1092) qui y transféra son siège du Château de Prague. Il fonda à Vyšehrad, entre autres, l'église consacrée à saint Pierre et plus tard aussi à saint Paul et il y constitua un chapitre indépendant de l'évêque pragois et soumis directement au pape. Le prévôt de Vyšehrad avait assumé la fonction de chancelier du monarque et de quelques autres souverains. Vratislas souligna également l'importance de la résidence monarchique en construisant le palais de pierre de style roman. Le code de couronnement du roi Vratislas date probablement de 1085.

Vers la fin du 12e et au 13e siècles, le rôle de Vyšehrad devint toutefois secondaire par rapport à celui du Château de Prague. Ce ne fut que Charles IV qui rénova l'importance politique et militaire de Vyšehrad. Il fit, en premier lieu, généreusement reconstruire le palais royal. Tout à fait dans l'esprit des opinions militaires de l'époque, on procéda à une construction des fortifications massives à deux principales portes d'entrée, dont la Pointe (Špička) dans la partie sud. Il y avait une petite forteresse de passage bien visible encore dans les cartes de Prague du 16e et 17e siècles. Un des importants articles du nouveau Code de couronnement de Charles fut l'ordre, pour chaque monarque, d'effectuer un voyage à Vyšehrad à la veille de son couronnement. On peut dire que Charles IV garantit le statut du château royal constitutionnellement, en stipulant dans l'Ordre de couronnement des rois de Bohême que le cérémonial du couronnement devait commencer au château de Vyšehrad et c'est là où l'on devait conserver à perpétuité la musette et les sabots en liber, prétendus souvenirs de Přemysl le Labou-

reur délaissés lorsqu'il fut appelé à quitter son travail et à s'installer au siège princier, pour devenir fondateur de la première dynastie locale, de laquelle provenait, du côté maternel, Charles IV.

Après 1369, on commença la reconstruction de l'église chapitrale Saint-Pierre et Saint-Paul, laquelle se poursuivit jusqu'au début du 15e siècle, bien que le monarque la favorisât dés le début. On se servit probablement du modèle des basiliques du sud de la France. A part la reconstruction de longue durée de l'église chapitrale, et d'autres édifices, commença, celle des maisons des chanoines et des prêtres.

En 1361, on construisit aussi à Vyšehrad un aqueduc en pierre par lequel on amenait de l'eau des actuels quartiers Pankrác et Jezerka à celui de Michle — donc, à des distances considérables à l'époque. Le projet entier fut lié à la viticulture sur les pentes sud de l'éperon du château nécessitant l'arrosage, et les besoins en eau potable des habitants de Vyšehrad. La période faste de Vyšehrad prit fin au début de la révolution hussite.

Le 1er novembre 1420, la garnison royale de Sigismond de Luxembourg affamée par un long État de siège, livra le château aux armées hussites unies. C'était le jour où le prince héritier du trône tchèque, non reconnu par les hussites, fut battu à plate couture par les Pragois et leurs alliés de Tábor, Žatec, Louny, Slaný, de l'union d'Oreb de la Bohême orientale, sur la plaine de Pankrác, sous les yeux des habitants de Vyšehrad qu'il voulait épauler avec ses troupes. Les mercenaires de Vyšehrad respectèrent, en vrais chevaliers, les conditions de l'armistice convenues déjà auparavant et ils n'intervinrent pas dans la bataille.

Par la suite, les fortifications de Vyšehrad en face de la ville furent démantelées et le complexe du château abandonné fut joint à la Nouvelle-Ville. Sous le règne de Vladislas Jagellon, dans le dernier quart du 15e siècle, on tenta de fonder la ville du mont de Vyšehrad, mais la commune, composée pour la plupart de petits artisans, ne fit que vivoter pendant un siècle et demi, notamment après la restitution du régime des biens du chapitre au 16e siècle. A partir de l'an 1654, à la suite d'une décision de Ferdinand III, Vyšehrad commença à se transformer en immense citadelle

L'étendue des constructions entreprises sous le règne de Charles IV affecta également Vyšehrad.
Le monarque prêtait beaucoup d'attention à ce lieu lié à la dynastie Přemyslide.
Charles était un descendant de cette dynastie du côté maternel

Vue d'une des arcades Wiehl du cimetière de Vyšehrad. Les peintures décorant les arcades de style néo-Renaissance sont de Rudolf Říhovský

Décoration ornant une pierre tombale du cimetière de Vyšehrad. Le portait sculpté apparaissant dans le médaillon fut exécuté par Josef Václav Myslbek

Le chagrin (Žal), une statue de František Bílek, un des maîtres du symbolisme tchèque, sur la tombe de l'écrivain Václav Beneš Třebízský

Sur l'origine des trois colonnes de pierre les légendes varient. Une des versions affirme qu'il s'agit de la pierre du diable

baroque, ce qui était dû à la reconstruction des fortifications de Prague, lesquelles s'avérèrent, au cours de la guerre de Trente ans, vieillies et vétustes. Il fut confirmé, une fois de plus, que Vyšehrad jouait un rôle-clé dans les opérations militaires orientées vers Prague, en tant que forteresse surveillant l'entrée au sud et au sud-ouest de Prague. Le système de la forteresse fut basé sur un pentagone aux bastillons robustes aux angles. L'ensemble du projet profitait des expériences des écoles de fortifications italienne et hollandaise. Jusqu'en 1866 où la forteresse fut abolie, seul le chapitre Saint-Pierre et Saint-Paul avait conservé sa fonction d'origine.

En 1883, Vyšehrad avec sa colonie au pied du château, fut élevé au rang de sixième quartier de la ville, la citadelle restant sous administration militaire jusqu'en 1911. La forteresse une fois désertée, les chanoines de la patrie bénéficièrent d'une manière considérable, d'une resurrection de la gloire traditionnelle de Vyšehrad, cette fois-ci en tant que monument culturel national. Le petit cimetière de Vyšehrad devint lieu du dernier repos des personnages éminents de la renaissance nationale, de la vie politique et culturelle, pour rester à jamais un lieu de sépulture d'importance primordiale. La surface de la forteresse fut aménagée en jardin public. De nos jours, on prête à Vyšehrad des soins complets, tant que les conditions compliquées sur le plan des terrains et du bâtiment le permettent, il est soumis à des prospections archéologiques systématiques.

Le plus ancien monument conservé de Vyšehrad, rappelant son épanouissement sous le roi Vratislas, est la rotonde romane Saint-Martin du 11e siècle, se trouvant dans la proximité de la porte Léopold — seconde porte intérieure de la forteresse baroque — datant des années 1676—1678.

La basilique romane d'origine, Saint-Pierre et Saint-Paul, de la fin du 11e siècle, fut encore considérablement élargie au début du 12e siècle et aménagée en style gothique primitif dans la seconde moitié du 13e siècle. L'église fut complètement reconstruite et somptueusement ornée sous Charles IV. Il va de soi qu'après la chute de Vyšehrad, en novembre 1420, elle fut gravement endomagée. Après le retour du chapitre, l'église fut au 16e et au début du 17e siècles, de nouveau rénovée et dans la première moitié du 18e siècle, reconstruite dans un style baroque par Jean B. Santini-Aichl, François Maximilien Kaňka et Giacomo Antonio Canevalle, créateurs du baroque pragois. L'aspect actuel de l'église est le résultat de la regothisation réalisée vers la fin du 19e siècle et au début du 20e sous la direction de Josef Mocker. Actuellement, le monument subit une vaste restauration.

Le cimetière, dont la dominante est Slavín, crypte monumentale de la fin du 19e siècle, est le lieu du dernier repos des personnalités remarquables des arts, de la science et de la politique tchèques des 19e et 20e siècles. On y trouve les tombeaux de nombreuses personnalités, souvent d'importance européenne ou mondiale, de même qu'une grande quantité d'ouvrages de l'architecture funéraire et des arts plastiques. Le cimetière est considéré comme un ensemble architectonique unique et équilibré, mémorable pour le passé national tchèque, aussi bien que pour le présent.

Pour les visiteurs de Vyšehrad, la vue depuis le coin de la forteresse au-dessus du rocher sur le Château de Prague, la ville située au-dessous de la Vltava avec ses ponts reste tout à fait inoubliable.

Vue de la rive de Malá Strana (Petit Côté) sur le pont Charles et la Tour
du pont de la Vieille-Ville, les oeuvres de l'atelier de Pierre Parler
de la seconde moitié du 14e siècle